ちくま新書

世界哲学史5

——中世Ⅲ バロックの哲学

伊藤邦武／山内志朗
Ito Kunitake　Yamauchi Shiro
中島隆博／納富信留 責任編集
Nakajima Takahiro　Notomi Noburu

1464

世界哲学史5

——中世Ⅲ　バロックの哲学【目次】

第3章　西洋中世の経済と倫理　山内志朗　075

はじめに

山内志朗

本巻は一四世紀から一七世紀までの哲学の展開を扱う。この時代は人類史上から見て一つの激動の時代だった。大航海時代、活版印刷術の発明、宗教改革、ルネサンス、など大きな歴史的事件が生じたのである。なお、本巻では一六世紀から一八世紀半ばまでを指す語として原則として「近世」を用い、その後の「近代」と区別している。

西洋においては、哲学が神学に対する従属的位置を脱して、世俗的学問になったのは一七世紀以降と考えてもよいだろう。アリストテレスの著作を研究するのが主たる教育研究内容であった学芸学部においては、哲学は神学から独立的な地位を有していた。両学部の対立が実在論と唯名論という普遍論争の立場と交錯して、哲学史の構図が形成されてきた。いまだに実在論と唯名論という対比が哲学史を歪めてしまっている。宗教改革以降、大学教育の大衆化ということとも相まって、哲学の世俗化、宗教への従属状態からの脱却ということが生じた。哲学と宗教を連続するように捉える風潮の中で、神学と哲学の関係は今でも問われねばならぬことかもしれぬ。

世界史全体を見渡した場合、中世と近世という時代区分は妥当なものか、放置し得ぬ問題である。西洋においても、中世という名称は、近世における文化の再生という前提を有し、古代と近世に光があって、中世は暗黒の時代であるという先入見に支配されていた。

中世に黄金期を設定する者から見ると、近世以降は衰頽と没落の過程であり、近世を準備した思想は、中世の秩序の破壊者と見なされ、憎まれたのである。その典型が、唯名論者であるウィリアム・オッカムに見出された。

中世において、異端思想はその多くが黙示録的終末論の側面を持っていた。近づいてくる終末は現在の秩序の転倒・革命であり、社会の大部分を占める困窮する民衆が幸福な状況を迎えられるという期待に裏打ちされていた。中世はいつも新しい時代を求めていたのである。

中世と近世という区分が、宗教的支配から世俗権力への移行と見るにしても、ラディカルな変化を設定しなければ、中世と近世という区分も成立しない。

哲学史的に見ると、イスラームにおいては、アヴィセンナ、アヴェロエスの後には、西洋哲学に大きな影響を及ぼす哲学者は現れず、盛期を過ぎたかのごとく描かれてきた。中国においては、朱熹（しゅき）、王陽明の後には巨星と目すべき思想家は現れず、日本でも室町時代から江戸時代初期と大思想家には乏しい時代が続いたようにも見える。同じことは、西洋哲学についても言える。一三世紀においてトマス・アクィナスが消えた後、ドゥンス・スコトゥス、オッカムが現れ、中世スコラ哲学への終焉を宣言して後、ルネサンスに至るまで暗黒の時代が続いたかのように描かれてきた。近世は光をもたらしたと言えるのか。二度にわたる世界大戦とＦＵＫＵＳＨＩＭＡの後で我々は強くそう思う。

そもそも「中世」と「近世」という名称・区分が妥当なものかが世界哲学史の視点から検討されなければならないのである。とはいえ、世界の各地に個別的に展開される諸思想群を一様に眺めることなど可能ではない。

世界哲学史は絶対精神の顕現を示そうとする試みではない。二一世紀のこの現状を絶対精神の顕現だと主張する哲学者がいるはずもない。世界哲学史は、ローカルな局所性が自らの特異性を発揮することの中に普遍性を宿していることを示す試みである。その意味では、世界哲学史もまた、個体たるモナドが、無限に多くのモナドからなる宇宙を表現することで個体性を実現するモナド論の試みなのである。

第1章
西洋中世から近世へ

山内志朗

1 西洋中世と近世

†西洋中世から近世における哲学の移行

科学史家アレクサンドル・コイレ（一八九二～一九六四）は、『閉じた世界から無限宇宙へ』のなかで近代科学成立期における思想のドラマを描き出したが、それこそ閉じた有限な世界から、開かれた無限の宇宙への移行を描くものであった。中世から近世への移行とは、それと呼応するように、人間の活動においても、哲学思想においても開かれてものとなっていった。世界各地で足並みを揃えて、近世的開放が生じたわけではない。その先頭を切ったのが、西洋だったのである。

デカルト（一五九六～一六五〇）の「我思うゆえに我あり」に近世哲学の黎明を見る通念があ

る。世界哲学史はその通念に何を語ろうとするのだろうか。デカルトの言説が局地的だったと言いたいのではない。意識の審級が哲学の主たる舞台なのか、それを考えたいのだ。大航海時代に入り、世界全体を舞台とし始めるとき、哲学者達は意識の中に引きこもっていたのだろうか。ライプニッツ(一六四六～一七一六)の予定調和説を見るにしても、スピノザ(一六三二～一六七七)の「神即自然」の宣言を見るにしても、世界から切り離されて意識という繭の中で思索し続けることが基本姿勢だったはずがない。

では、一七世紀という近世はいかなる時代だったのか。一七世紀とは闇である中世から抜け出た合理主義の時代ではなく、光と闇の相半ばするバロックの時代だった。カトリックの側の対抗宗教改革の流れの中で宗教裁判が強化され、異端の罪で火刑に処せられる被害者が最も多かった時代であり、魔女狩りが最も盛んな時代であった。プロテスタント世界でもこの魔女狩りは激しいものだった。人間の歴史は闇から光へなどというように直線的に動いてはいないのである。世界史はいつも、現代においても書ききれない闇に充ちている。

中世と近世を分かつものは何か。ブルクハルト(一八一八～一八九七)が述べたように、世界と人間の発見こそルネサンス(近世)の始まりと見なす手もある。つまり、「(中世)に(世界と人間)を加えたものが近世」という公式なのだ。かたや、ジルソン(一八八四～一九七八)は世界も人間も中世に発見されていたと捉え、近世は神を失ったと見なし、「(中世)から(神)

を取り去ったものが近世である」という図式を提出した。中世と近世における優劣が問題なのではない。近世が自分の存在意義を示すために「中世」を捏造したのではないか、それが問題なのだ。

†西洋中世の秋

少し遡ろう。一四世紀は黒死病の時代であり、昏い時代だった。カトリックの視点から見ると、中世末期はローマ教皇庁の凋落という闇の時代だった。

その後の流れを一七世紀まで大まかに辿れば、一四世紀（黒死病、教皇のアヴィニョン幽囚、教会大分裂、英仏の百年戦争）、一五世紀（イタリア・ルネサンス盛期、フィレンツェの栄華）、一六世紀（宗教改革、大航海時代）、一七世紀（バロックの時代、合理主義）というように配置することができる。このように整理すれば、徐々に光に満ちた時代への進展というように見える。

一四世紀から一七世紀までを統一的観点から眺めること、しかも世界哲学の観点から見ようとすることは途方もない課題だ。世界史的に見れば、活版印刷術の発見に代表されるメディア革命、大航海時代、宗教改革の時代である。哲学から見ればどうなのか。哲学は、ミネルヴァの梟のように時代の大事件に遅刻して登場しがちだということなのか。

近世になると、デカルト、ライプニッツなど有名な哲学者が陸続と登場するが、一四、一五世紀という時代は、大思想家として取り上げられる人はそれほど多くは生み出していない。だから曖昧な時代と見なされ、呼称においても中世末期、ルネサンスなどとして整理されがちだ。しかしここでは、一七世紀をバロックの時代として捉えよう。そして、その活動の中心に、モリナ（一五三五～一六〇〇）、スアレス（一五四八～一六一七）といった、第二スコラ哲学者をも含めよう。第二スコラ哲学とは、一六、一七世紀のスコラ哲学のことだ。そうすると、中世と近世の間に連続性が現れてくる。中世とともにスコラ哲学が衰頽したのではない。

デカルト以降の有名な哲学者たちは世俗的バロック哲学として整理すればよい。一四世紀と一五世紀は後期スコラ哲学でよい。そのような整理の上で、一四世紀から一七世紀にかけてどのような思想家がいたのか概観してみる。

†哲学史的概略図

中世から近世にかけて、特に一四、一五世紀は曖昧な時代と整理される。見通しをつけるために、暫定的な概略図式を出しておく。煩瑣に見えるが実は全く逆で大雑把すぎる人物紹介である。ルネサンス思想家群と近世哲学者は本巻の様々な章で扱われるので、ここでは挙げることを避ける。

ⓐ《唯名論の流れ》ウィリアム・オッカム（一二八五頃～一三四七頃）、ジャン・ビュリダン（一三〇〇頃～一三五八以降）、リミニのグレゴリウス（一三〇〇頃～一三五八）、ニコル・オレーム（一三二〇頃～一三八二）、ガブリエル・ビール（一四二〇頃～一四九五）

ⓑ《ドイツ神秘主義》ゾイゼ（一二九五頃～一三六六）、ヨハネス・タウラー（一三〇〇頃～一三六一）

ⓒ《オックスフォード・リアリズム》ジョン・ウィクリフ（一三三一頃～一三八四）、ヴェネツィアのパウルス（一三六九／七二～一四二九）

ⓓ《正統的カトリック神学》アイィーのペトルス（一三五〇～一四二〇）、ジャン・ジェルソン（一三六三～一四二九）、ヨハネス・カプレオルス（一三八〇～一四四四）、クザーヌス（一四〇一～一四六四）

ⓔ《イエズス会とスペイン・バロック哲学》モリナ、スアレス

これまでの思想史はルネサンスを強調しすぎた。イタリアの地域的現象であった「ルネサンス」を過大に評価し、ヨーロッパ全体を規定する現象と考えてしまった。哲学的に見ると、ルネサンスを一四、一五世紀の西欧全体に及ぼすことはできない。

一五世紀、一六世紀のパリ大学の哲学状況を衰頽と見るのは問題が多い。エラスムス（一四

六六～一五三六）はアルベルティストやらガブリエリストを取り上げ、羊の腸よりもねじ曲がって曲折した哲学諸流派の分類として嘲弄するが、妥当な記述なのか疑問の余地は残る。

大看板を担う学者は出なかったとしても、大学者には事欠かないのである。少数に絞ることができないほど、学者の数は増えたのである。一五世紀以降、ヨーロッパの各地の都市に大学が成立し、パリで学んだ学者が出身地に戻り、それぞれの大学で特色のある教育研究を進めたのであり、知的産出力は衰えていたのではない。

活版印刷術の影響を見ることもできるし、学問と知識の大衆化を見る必要がある。哲学史は大哲学者中心主義に偏してしまいがちなので、学問の状況を後代の人が整理しやすいかどうか、を考えてパリ大学の学問が営まれていたわけではない。

†近世哲学の母体としての中世哲学

デカルトは、スコラ哲学の方法論全体への異議申し立てとシンプルな哲学の出発点を措定し、しかも大衆性をも備えていた。デカルトは、革新的な出発点を措定し、中世スコラ哲学への訣別を宣言できる大哲学者であった。しかし重要なのは、デカルトもまた、スコラ哲学遺産の大部分が優れた概念装置を大量に保有し、その概念群を継承していたことだ。ライプニッツはスコラ哲学の意義を強調したのである。スピノザの『エチカ』にしろ、そのスコラ哲学への用語面における全面的依存性（内実における徹底的反逆ではあるが）を見ても、スコラ哲学の効力は、カント（一七二四～一八〇四）に至るまで歴然としている。だからこそ、カントこそ最後のスコラ哲学者であったという見方が成り立つのである。

一四世紀に戻る。一四世紀は、哲学神学の中心がパリ大学一極性を脱し、ヨーロッパ各地に広がった時代である。フランス、スペイン、イングランド、イタリアにおいては、一三世紀に大学が発展していたが、中欧東欧北欧では一四世紀以降に大学が成立し発展した。

パリとオックスフォードの栄光は、ヨーロッパ全土に分散することによって近世へと移行していく。以下各地に大学が設立されていく――クラクフ（一三六四年）、ハイデルベルク（一三八五年）、インゴルシュタット（一四七二年）、テュービンゲン（一四七七年）、バーゼル（一四五九年）、プラハ（一三四八年）、コペンハーゲン（一四七九年）、ウプサラ（一四七七年）。

知の中心が分散すると、分かりやすい哲学史という姿からは離れてしまうが、実際にはそういう姿においてこそ、哲学が豊かに息づいている徴となる時代もある。

2 西洋の思想的地図

†唯名論の系譜

中世哲学から近世哲学への移行を語る場合、唯名論を位置づけなければならない（詳しくは本シリーズ第4巻第7章に述べられている）。唯名論とは、実体主義的な思考を脱して、事物のリアリティを関数的に取り扱う過程へと進展していく過程の一契機なのである。唯名論は、哲学の流れとしては西洋の一四世紀以降に展開し、近世において主流を迎えた思考法である。それは同時に自然科学の発展と軌を一にして、近代的合理主義に浸透していったと言える。唯名論とは、普遍の実在性のみをめぐるものではなかった。人間の思考が、実体を中心としたものから、数量や関数を基礎としたものに移行するとき、その舞台回しの役割を果たしたのが唯名論でもあったのだ。

西洋中世末期の唯名論は、オッカムとビュリダンに代表されるというのが通常の哲学史整理であり、その系譜の後継者としてマルティン・ルター（一四八三〜一五四六）が置かれてきた。この流れこそ、中世末期から第二スコラ哲学へ至る主流の一つになるのだが、注意をする必要がある。

一つには唯名論の理解についてである。唯名論は、普遍を唯名的なものだとする立場とされてきたが、命題の真理の根拠をどこに置くかをめぐるものと捉えた方がよい。実在論は、アリストテレスの実体論の構造を備えた事物を前提し、その中での存在論的階層構造を想定した上で、そこに真理性の根拠を考えた。階層それぞれに対応した述語が成り立ち、したがって事物の側に根拠を持つとされていたのである。唯名論は、実体の側にそういった論理的な階層構造を前提することは、論点先取であるとして否定し、内的構造を前提せず、個物としての事物と、概念のみを前提して、外延主義的に命題の真理を説明しようとするものだった。事物の側の実体論的構造を前提せず、個体主義的、外延主義的な枠組みをとったのが、唯名論だった。

このように見ると、ドゥンス・スコトゥス（一二六五／六〜一三〇八）が実体の内部に設定した形相的区別は崩壊するというよりも、無用になるのである。唯名論によって、形相的区別と実在論は否定されるよりも、無用のものとして廃棄されるのである。

しかしながら、ルターに連なる唯名論の系譜はこちらではない。別の唯名論の系譜が存在していた。それがリミニのグレゴリウスの立場である。こちらは倫理神学に関わり、義認論の問題を中心論題とした。つまり、義認されてあることを表す「恩寵を与えられた」「義なる」「功績ある」といった述語は、神の恩寵を起源としていて、被造物たる人間の側にその述語を支える根拠はなく、したがって「義なる人」という場合、それは「見られた机」と同じように、「義しい」という命名の根拠は外部にあると考えられた。それは「外的命名」というもので、名のみのもの・唯名的なものであるとされ、グレゴリウスの唯名論の根幹となった。これを支える議論として、神の絶対的能力などが考え出された。グレゴリウスこそ「唯名論の旗手」と呼ばれ、ルターの信仰義認論と直結するのである。

義認論をめぐる倫理神学的な場面でも一四世紀に、新しい流れが定着する。人間の功績の起源は、人間の自由の中にあるのではなく、神の恩寵に起源を有し、が、その「唯名的」な呼称のゆえに、そのような捉え方を提示したリミニのグレゴリウスは「唯名論の旗手」と呼ばれることになったのである。

†スコラ哲学の破壊者オッカムのイメージ

唯名論は複数の層からなる歴史的現象であって整理がしにくいものだ。一七世紀に学説史が蓄積される中で、オッカムに淵源する流れが唯名論と語られ、その呼称の所以として普遍を名称として捉えたという整理が成立するが、それはあくまで一七世紀の出来事だ。それを中世に投影してしまうと混乱が生じてしまう。

オッカムが一三二四年アヴィニョンに召喚され、異端審問がなされるなか、フランシスコ会の清貧をめぐる論争にも巻き込まれ、オッカムは反教皇の立場に立つ。その後ほどなくして、オッカム思想への弾劾がパリ大学で出されるようになっていく。だが、そのオッカム主義と唯名論の流れが重なるまでにはいくつかの論点が複合的に関わってくる。

学芸学部と神学部の対立があり、学芸学部の主に論理学を教える教師たちが、文章の字義通りの意味を踏まえて神学的な事柄について論じる傾向が強まってきた。神学の事柄は神学部の専決事項であるにもかかわらず、それを侵害することへの告発があった。「古い道」（神学部）と「新しい道」（学芸学部）という区分が一五世紀以降定着するが、これもまた聖書や『命題集』という伝統的な典拠を踏まえ、古い方法で神学的問題を扱うか、論理学を使って分析するのか、という違いと重なっていた。

オッカムに見られる反教皇主義的な姿勢、神学部に対する学芸学部の主張、テキストの解釈をめぐる方法、倫理神学的な場面での呼称の問題、そこに普遍論争における普遍の唯名的把握が重なって、「唯名論」というアマルガムが登場したと考えるのがよいと思われる。

歴史家ジョルジュ・ド・ラガルド（一八九八〜一九六七）の大著『脱宗教的精神の起源』（一九五六〜一九六三）において、パドゥアのマルシリウス（一二七五／八〇〜一三四二／四三）とウィリアム・オッカムを中心にして、宗教的権威に対抗して、世俗的権威が優位を占める近代性の歴史的起源を明らかにしようとした。その中で、オッカムは、その存在論と認識論の思想に依拠して、反教皇論という政治的思想を構築し、ルターに先立って、教皇権を破壊する最初の人物となったことを論証しようとした。

ド・ラガルドの整理によると、オッカムは中世的宗教権威を終焉させ、近世世界を切り開いた人物になる。ド・ラガルドは、宗教的権威と世俗的な脱宗教的権威の対立を設定し、宗教的権威への反抗が世俗的な権威の近代的な成長に貢献したと捉える。その枠組が影響を及ぼし、唯名論の論理学が、反教皇的な政治文書や神学においても基礎を提供していたという考えが広まってしまった。唯名論が、近代の世俗的・非宗教的な政治体制、宗教改革、カトリック教会の衰退をもたらしたのだという。

中世末期における教皇への様々な反抗は、近世の政教分離に基づく世俗権威の確立に役立ち、その先頭に立ったのがオッカムという図式を立てた。唯名論は、近代的な政治理論の源流に位置することになる。オッカムは清貧について教皇と対立したが、それは新しい教会組織を目指してであって、中世世界を終わらせようとしていたためではない。

オッカムはあくまで中世の人であり、唯名論は中世の終焉に関わってはいないのである。フランシスコ会の中には、黙示録的終末論を唱え、聖霊教会の到来を期待する流れはあり、それが反教皇の立場と結びついていた。聖と俗の対立があったのではなく、霊的な純粋化の流れと見るべきだ。ド・ラガルドの見方は、様々に批判されたが、近世的政治理論の源流、中世を終わらせた人物としてオッカムを祭り上げる枠組みを作るのに貢献したのだ。

†唯名論的神秘主義

宗教史家ヘイコ・オーバーマン(一九三〇〜二〇〇一)は『中世神学の成果』において、ルターの宗教改革の精神の起源を明らかにしようとした。ルターがガブリエル・ビールの『命題集註解第二巻』を精読し、そこからオッカムに連なる唯名論の精神を吸収した。大きな流れでいえば、ルターは明らかに唯名論の系譜に属しているが、オッカムの思想を正面から激しく批判もしている。

その経緯を示すためには、一五世紀における哲学思想の流れに参入せざるを得なかったのである。一五世紀は未踏の大地であり、現在でもほとんど解明されていないといってよい。オーバーマンが示したのは、一五世紀における唯名論的神秘主義の流れだった。

唯名論という論理学的思想と神秘主義がどのように結びつくのか訝る人も多いだろう。唯名論とは、普遍とは名のみのものと考える思想でないことは、西洋哲学史の大前提として考えるべきことだ。今でもあまりにもそれに類する誤解が多い。おそらくそのためだけに西洋哲学史が書き換えられてもよいほどだ。唯名論の祖とされるオッカム自身、普遍とは概念であると考える概念論を主張していた。それが「唯名論」と一六世紀以降に呼ばれるようになって、大混乱が生じてしまった。

オッカムの後に、オックスフォード・リアリズムという実在論の系譜が現れ、それがジョン・ウィクリフの実在論につながっていく。おそらくスコトゥス、オッカム、ウィクリフは一つの流れとして考えた方がよい。そこに従来の「実在論・唯名論」の整理は、乗り越えがたい亀裂を入れてしまう。唯名論が近世を準備したという整理は危うさを持っている。

3 バロック哲学への道

†ウィクリフの実在論

バロックとは、スペインが大航海時代の中で世界へと版図を広げる時代に、西洋において隆盛していた文化様式であった。バロックの定義は様々であるが、その時代精神を表すライプニッツにおいて、ドゥルーズは「襞」ということにバロック性を見出したが、その現れをモナド論に見出すこともできる。つまり、個体たるモナドが、無限に多くのモナドからなる宇宙を表現することで個体性を実現することは、無限性と有限性が動的に交錯するものであり、そこにバロックの現れを見ることもできる。そして、その全地球的な展開が世界史の中で生じていたのである。一七世紀というバロック的世界は、世界哲学史の大舞台でもあった。その意味でバロックに至る道を辿ることは、煩瑣な曲がりくねった道であるとしても哲学の世界的展開への道を示すことでもある。

西洋中世末期に遡る。実在論が近世との結びつきを持つことはウィクリフを見ればよい。ウィクリフという実在論から教皇批判の論点がでてきたことは、ド・ラガルドが設定した唯名論と教皇批判と世俗主義を重ねて考える図式にとって悩ましいものだった。一二、一三世紀は商業革命の時代であり、同時に都市が大幅に増加した時代だった。市民の経済力は急速に強くなり、文化の中心は、都市と市民に場所を移すこととなった。

ローマ教皇もアヴィニョン幽囚、教会分裂（一三七八年）を経て、精神面での権威としての地位を下げ、世俗的な文化の進展の中で、一四世紀以降文化的配置は大きく変化することとなった。

これまでの中世哲学史においては、トマス・アクィナスに代表される実在論は教皇絶対主義に近く、唯名論的なオッカムは世俗主義または聖俗分離的二元論として整理されてきた。ウィクリフは、実在論的であり、にもかかわらず反教皇主義の立場をとった。唯名論と世俗主義、近代の始まりとの結びつきという、世界史の伝統的枠組みはウィクリフを考えると揺るぐものとなりかねない。ウィクリフの政治的立場は、かれの教皇権威論（教皇の絶対的無謬性（むびゅうせい）の是非）、聖餐論との関連も加えて考察せざるを得ないのだが、存在論の側面に限定する限り、ドゥンス・スコトゥスの実在論に近く、オッカムがスコトゥスの思想において排撃した形相的区別を維持していることは、やはりオッカムとはかなり異なってはいる。しかしながら、スコトゥスもオッカムもウィクリフも個体主義者である点では一つの同じ系譜に属していると整理できる。

ウィクリフの教会批判は、教皇権と世俗支配権を分離し、ローマ教皇は世俗支配権を持たないとした点にある。聖体論においても実体変化説を正面から批判したのは重要である。その論点は、偶有性は基体なしには残らないということだが、つまりパンの偶有性はパンという実体なしに残ることはなく、パンの実体が変化してキリストの肉に変化することはない、また天にあるキリストの肉体が同時に地上に存在するはずもないとした。

聖餐理解において教会の誤謬を指摘することは、ミサにおいて一般庶民がパンのみの聖餐で、ワインが与えられないという差別的儀式への批判を支援するものとなった。

ウィクリフの実在論は、彼の形相的述定という考え方に典型的に見出される。述語に対応する形相が主語に対応する実体の形相に内属していることを示すのが形相的述定だが、そこに真理の根拠があり、それは実体内部での形相相互の内属関係に根拠があるということであり、ドゥンス・スコトゥスの形相的述定からの直接的影響関係は考えにくいが、用語そのものにおいても内実においても結びつくものである。

†スコラ哲学の方法とメディア革命

近世スコラ哲学のことを、中世のスコラ哲学と区別して「第二スコラ哲学」と呼んだりする。あまりにも錯綜していて、手がつけてこられなかったが、実は哲学を担う人間が増えて、しかも高度な研究を印刷術を使って大量に生産した成果なのであって、エラスムスが嘲笑するような不毛にして大量の文献の山の世界なのではない。

トミストの第一人者と呼ばれたのがヨハネス・カプレオルスで、その著作『聖トマス神学擁護論』全四巻は、一五世紀、一六世紀に広く読まれた。

そこでは、ドゥンス・スコトゥス、オッカム、ペトルス・アウレオリ（一二八〇頃～一三二二）、ドゥランドゥス（一二七〇／七五～一三三四）、リミニのグレゴリウスなどの見解が紹介され、トマスの立場から論駁されている。対立する立場の思想家が学説史的に紹介されているのが、一五世紀のテキストには多くなってくる。

研究の進んでいない哲学者の学説が羅列され、それへの反駁がなされる著作は手つかずのままにとどまらざるを得ない。一五世紀の哲学書は、一四世紀の哲学者の学説史であるが、一四世紀のスコラ哲学研究が進んでいない状況では放置されるしかなかったのである。そのなかで、イエズス会士は、初等教育に力を注ぎ、分かりやすい教科書を作成しようとし、学説史については長い紹介に紙数を費やさなかった。

学説は一五世紀までは網羅的に対立する見解が並べられ、それぞれについて紹介と論駁が加えられる以上、テキストは長いものとならざるを得なかった。イエズス会の哲学教育改革においては、学説は基本的内容の勉学のための解説という側面が強く、取り組みやすいものとなった。それが『教程』という形で数多く刊行されたのである。『命題集註解』という形式は、異論紹介と異論論駁が膨大なものになることによって、読解可能性を逸脱するようなテキスト形式になってしまったのである。

一五世紀は『命題集註解』の最後の世紀だった。学説が膨大に蓄積されていくなかで、もはや人間の頭脳という記憶媒体では処理しきれないものとなり、印刷術が登場し、目次、索引など検索の便が完備されていく中で、『命題集註解』という神学者になるための必須の階梯は取り外され、トマスの『神学大全』を教科書としたり、カリキュラムを考えて書かれた様々な教程の類が刊行されていくのである。

†一六世紀の哲学

一五世紀にはドイツなど中欧のみならず、東欧・北欧にまで大学が陸続と開学されていった。一六世紀は、宗教改革の時代であった。哲学的にはヤーコブ・ベーメ(一五七五〜一六二四)、エラスムス、ジョルダーノ・ブルーノ（一五四八〜一六〇〇）などが目立つだけで、哲学的には乏しい時代だったように見える。しかし、イタリアの人文学者ユリウス・カエサル・スカリゲル（一四八四〜一五五八）とパドゥアで活躍したヤコブス・ザバレラ（一五三三〜一五八九）の二人だけでも、一七世紀のドイツにとっては輝かしい時代に見えるほどの大思想家が登場していた。ペトルス・ラムス（一五一五〜一五七二）、フォンセカ（一五二八〜一五九九）、モリナなど有名な思想家には事欠かないにもかかわらず、空白の時代と見なされがちだ。

この時代の哲学の重要な特徴は、一五世紀において大学がヨーロッパ各地に拡大していった後を受けて、大学が大衆化し、それにともなって、カリキュラム改革がなされ、同時に学問の方法論が根本から検討し直された時代であったということだ。

アリストテレスの『分析論後書』は科学方法論に関する著作だが、それが研究されたこと、ラムスがアリストテレスの学問論を批判し、方法（メトドゥス）概念を復興し、易から難へと漸次的に学習していく方法を提唱し、しかも二項分類を基本として図式化することで学習しやすくするという画期的な勉学法を提唱したことは画期的なことだった。このラムスの方法は、ラムス主義として広がり、イングランドのみならず、北アメリカ大陸東海岸のニューイングランドにまで普及するほどの普及力を有していた。

†第二スコラ哲学

第二スコラ哲学は、イエズス会を中心に展開した。イエズス会は世界各地に宣教を行い、そして布教先の各地で学校を設立し、神学者を養成しようとした。

たとえば、アントニウス・ルビウス（一五四八〜一六一五）は、イエズス会士で若くしてメキシコに派遣され同地で哲学と論理学を教え、その地でアリストテレス論理学の教科書が『メキシコ論理学』と題され、ヨーロッパでも広く用いられた。イエズス会のアジア宣教の基地として、ゴアとマカオがあったこと、そして長崎にも神学校が設立されたことはその広がりの一端を示している。

ペドロ・ゴメス（一五三五〜一六〇〇）は、日本でも神学講義のために『講義要綱』を一五九三年に著述し、その書は二年後には日本語訳が作成された。

イエズス会の活躍は、大後悔時代における人間の活動範囲の拡大と重なり、命じられた場所であれば世界中どこへでも宣教しようとする姿勢に由来していた。地域的な広がりばかりでなく、経済活動においても利子を容認するなど、世俗的な活動についても寛容であった。イエズス会は世界哲学との結びつきが強いのである。

スアレスやモリナの神学の特徴を取り出すことは探究の途上にあり、全体像は分からない。

分かりやすい概説書もまだ存在していない。

人間が功績ある行為をなす場合、神の協力が見出され、神と人間との間の協働が成立する。その場合、神に優先権を与えればカルヴィニズムとなり予定説ないし決定論となり、人間の側に優先権を与えれば、ペラギウス主義となる。モリナは神の恩寵の効果について、究極の基礎付けは、恩寵という神の贈り物の実体にあるのではなく、神の恩寵と人間の自由な協力について神が予知することにあるとした。しかもこの予知は必然的なものではなく、偶然性を損なわない予知であるとして、一七世紀以降激しく議論された。つまり、人間の自由な行為は神に予知されながらも自由を奪われることがない、としたのである。神の予知は、未来の偶然事に関する仮定的な予知であって、「中間知」と呼ばれる神に固有な特殊な知の形式であるとして論陣を張った。

モリナの説が異端かどうかは教皇さえも決着をつけることができず、反対する論陣（ドミニコ会）との間で、議論を止めることを命じて、未解決のまま現代に送り届けられている。行為の帰属先が一つの実体であるとして、人間の義認が人間の自由な行為によって成立するとすれば、神の恩寵と人間の行為において、神に絶対的優先権が与えられてはならず、しかも同時に人間に優先権を与えれば、異端に陥るというのは避けられないディレンマである。カントがそこにアンチノミーを見出したのは当然である。そのように議論を立ててしまう限り解決の可能性は断念するしかない。

もし少しだけ贅言（ぜいげん）を許されるならば、近世に入って隆盛を極めた第二スコラ哲学は、世界規模で進展していた大変動に心を閉ざし、現実離れした神学理論ではなかったことを付言しておきたい。その理論たちは、交易と宣教のためであれば妥協に妥協を重ねる打算的な理論でもなく、現実の問題とせめぎ合う理論であったことは、世界哲学史を考える場合に忘れてはならないことだと思う。その後の哲学史に華々しい名を残すかは、政治的影響力の盛衰に影響されることが多いのである。理論そのものの時代を超えた輝きに心を奮わせることができなくなれば、哲学は死ぬ。

一四世紀から一七世紀への西洋哲学の展開は、中世が終わって近世が新しく始まったのではなく、中世を継承したものであり、キリスト教神学についても、カトリックとプロテスタントとの対立図式で捉えて済ませられるものではない。舞台は世界に広がった。西洋が世界を席巻する時代となったが、多様性の中で捉えられるべき時代であることは確かである。世界哲学史は茫洋たる未踏の大地を今も備えているのである。

さらに詳しく知るための参考文献

ハインリッヒ・ロムバッハ『実体・体系・構造』（酒井潔訳、ミネルヴァ書房、一九九九年）……実体論から関数や体系への基本概念の移行が歴史的に描かれているが、その移行における唯名論の意義について詳しく記されている。

将基面貴巳『ヨーロッパ政治思想の誕生』（名古屋大学出版会、二〇一三年）……オッカムやウィクリフなど、中世末期の政治哲学の流れが描かれている。

ヘイコ・A・オーバーマン『二つの宗教改革——ルターとカルヴァン』（日本ルター学会・日本カルヴァン研究会訳、教文館、二〇一七年）……一五世紀における唯名論的神秘主義の流れが鮮やかに示されている。

アリスター・E・マクグラス『ルターの十字架の神学』（鈴木浩訳、教文館、二〇一五年）……ルターの若い頃の宗教的回心の背景と、中世末期の唯名論との関係が記されている。リミニのグレゴリウスとの関連は重要である。

コラム1　ルターとスコラ学

松浦　純

基礎学としての「自由学芸」と専門の学問としての神学・法学・医学の二段構造になっていた西洋中世の大学では、その全領域が文字どおり「スコラ学」(「学校の学問」)だった。そして中世末期、学芸学部の教育は、「古来の道」(「トマスの道」および「スコトゥスの道」)と「近来の道」(「オッカムの道」)に分かれていたが、ルターが受けた教育は「近来の道」であり、オッカムの弟子を自認する発言も少なくない。それは、論理学や普遍問題の文脈で言われている。しかし神学もオッカムの学統とりわけガブリエル・ビール(一四二〇頃〜一四九五)の著作で学んでおり、神学教師最初期にペトルス・ロンバルドゥス『命題集』講読を担当した際も、この教科書ほかへの書き込みで参照が確認できるスコラ学者は、この学統がほとんどである(『命題集』のほかアンセルムス、ボナヴェントゥラ、オッカムについては、直接手にした書籍も遺るが、「量」と「聖体」に関するオッカムの哲学的・神学的著作の一部には詳細な本文訂正を施しており、密度の高い取り組みの記録となっている)。これに対してスコトゥスには手厳しい批判を加え、トマスへの言及は一箇所に留まる。

一方、聖書とアウグスティヌスに親しみ、教授となって旧約聖書詩篇と新約聖書パウロ書簡を講義する中、聖書の人間理解・存在理解とスコラ神学のそれの乖離の認識を深めたルターは、免償制度（免罪符問題）批判に先立って一五一六年秋以降スコラ神学を公に批判し、聖書とアウグスティヌスへ立ち返る神学改革運動を主導する。批判の標的はまず、オッカムの学統が主張する、自然的能力によって恩寵の獲得を準備できる、という理論だった。しかしそれを越えて、批判はアリストテレス哲学を援用するスコラ神学の方法自体に向けられていた。トマスについてはとりわけその創始者として批判し、「トマス主義（者）」をアリストテレス（主義）と言い換えることも多い。

その際、批判対象はアリストテレス哲学自体ではなく、それが神学を規定することだった。技芸の獲得が習熟に基づくように「人は正しいことを行うことによって正しい者となる」という哲学的倫理学を神学に援用すれば、「善き業」によって「義なる者」となる、となり、それは、「行為によらずキリストによって神から義とされる」とする信仰と真っ向から衝突する。そこには、存在と行為の関係についての把握の相違があり、さらには、人間を「類と種」や「実体と質」といった枠組で捉えるか、「神の前、人々の前、己の前で在る」という人格的関係性から捉えるか、という根本的な相違があった。オッカムが実在を実体と質に限定し、関係もその枠で考えたことを背景に見れば、「キリストこそわが質である」というルターの荒唐無稽とも見える発言が、相違を端的に表現している。

コラム2 ルターとカルヴァン

金子晴勇

時代に拘束されない人はだれもいないように、宗教改革者であったルターやその次世代のカルヴァン(一五〇九~一五六四)も、当時の支配的な哲学によって影響を受けた。一六世紀を支配していた哲学は後期スコラ哲学であるが、そこではオッカム主義の「新しい方法」とトマス・アクィナスの「旧来の方法」とが対決していた。ルターはオッカム主義者と自称したほど、その修学時代にオッカムの影響を受け、カルヴァンはパリ大学でスコトゥスの影響を受けた。一四世紀後半にヨーロッパは黒死病(ペスト)に襲われ、二五〇〇万人を超える死者をだす猛威のもとではトマス・アクィナスの知性的な世界観ではなく、オッカムの「神の絶対的な権能」という神観によって悲惨な現実を直視するように迫られた。ここから神学から自然科学までの分野に「新しい方法」による新しい創造の読みがなされるようになった。

ルターの宗教改革は、当時の教皇政治がもたらした弊害を批判する試みであったが、よく観察すると政治の領域よりもはるかに深遠な信仰の領域から、つまり神との関係で人格的に自己を理解する「霊」や「霊性」から起こってきた。この領域は哲学的な理性よりもむしろ神秘的な心や霊に関わっていた。ルターはキリスト教の教義の改革者とこれまで考えられてきたが、実はその師シュタウピッツの影響のもと中世の神秘主義から大きな影響を受けており、この点はルターよりも知性的であったカルヴァンでも同様であって、若い時代からこの心や霊の問題に彼は着目していた。この神秘的な霊性の観点から彼らは神学思想を新たに創造していった。この観点はその後啓蒙思想に対決する敬虔主義に受け継がれており、カントとドイツ観念論といえどもその影響を受けることになった。また彼らの信仰は新しい職業観を通して近代社会を形成する力の源泉ともなったが、その力は歴史と共に衰微し、信仰の世俗化によって亡霊のようになっていった。

このような近代の歩みは同時代のフランドルの画家ブリューゲルの幻想画「バベルの塔」によって見事に描かれている。この塔は上部が欠けた円錐形で描かれているが、実は欠けているところが「霊」に相当し、その下の部分が「魂と身体」であるといえよう。霊の部分の損傷は激しく、その痕跡がわずかしか残っていない。霊はあってもその残滓だけである。この事態が有する意義を現代の哲学史家フランクリン・バウマーは捉え、世界大戦後のヨーロッパの思想をTruncated Europeという言葉で表現した。それは「頂点が切り取られたヨーロッパ」という意味であり、二〇世紀の世界像である「神の存在に対する信仰の喪失」を示し、世俗化された近現代ヨーロッパ思想の全体像を見事に把握している。

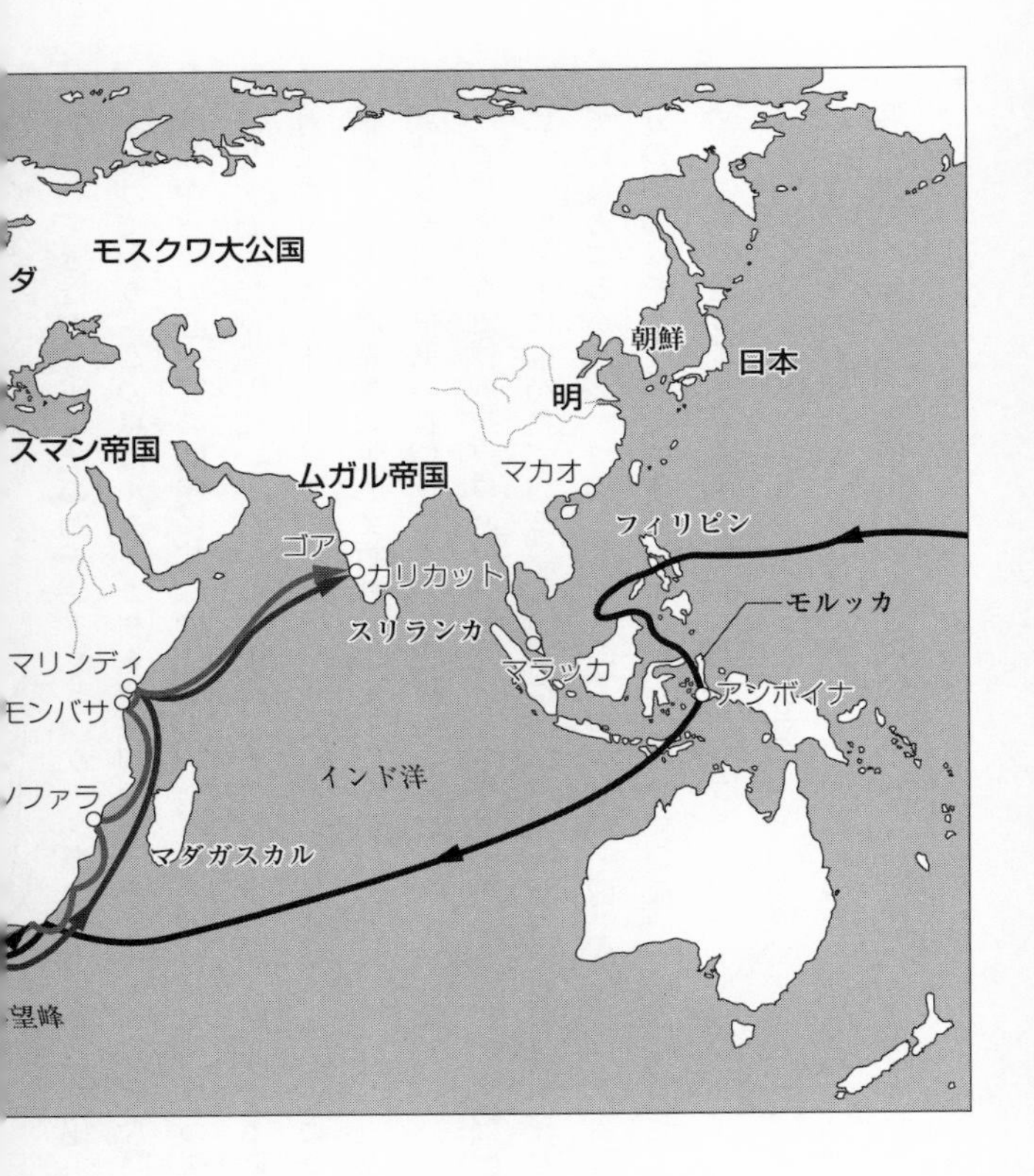

モスクワ大公国
ダ
朝鮮
日本
明
スマン帝国
ムガル帝国
マカオ
フィリピン
ゴア
カリカット
モルッカ
スリランカ
マリンディ
マラッカ
モンバサ
アンボイナ
インド洋
ソファラ
マダガスカル
望峰

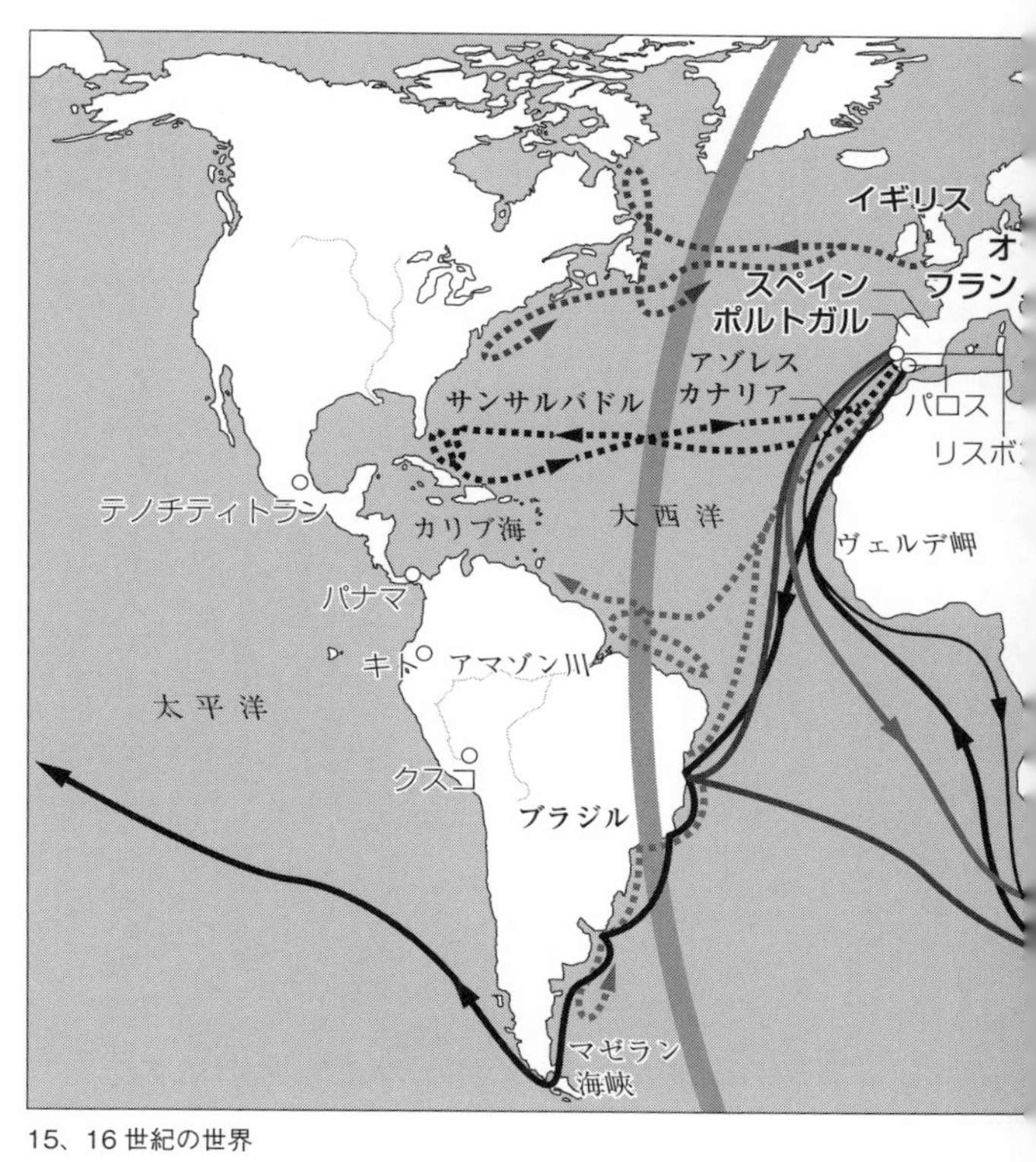

15、16世紀の世界

ディアス（1487〜88年）
コロンブス第1回（1492〜93年）
カボット（1497, 98年）
マゼラン（1519〜22年）
＊マゼラン死後の部下の航路を含む。
トルデシリャス条約分界線（1494年）
ガマ（1497〜99年）
ヴェスプッチ（1499〜1500, 02年）
カブラル（1500年）

第2章

西洋近世の神秘主義

渡辺 優

1 神秘主義と愛知

†哲学的知の彼方と神秘主義

そもそも、神秘主義なるものを世界哲学の問いとして考えることは可能なのだろうか。仮にも哲学の条件が「普遍性と合理性」（本シリーズ第1巻、序章を参照）を備えていることであるとすれば、これは避けて通れない問いだろう。各種の辞事典類を繙（ひもと）けば、「神秘主義」は概して、神的存在との直接無媒介の合一体験をめざす思想および実践、と定義されている。この場合の「合一体験」は、個人の内面に生起するものであり、個別的で言語化できないもの、それゆえ共約不可能な非合理性を特徴とするもの、とみなされる。となれば、いわゆる「神秘体験」を核とする神秘主義は、哲学とは相容れぬものではないのか。

しかしながら近年の研究は、体験中心主義的な神秘主義理解が西欧近代に創られたものであったことを明らかにしている。「神秘主義」なる言葉のなりたちをめぐる厄介な問題について踏み込んで論じる余裕はないが、次のことは強調しておきたい。すなわち、「神秘主義とは何か」という問いは、「神秘主義」という言葉がどのように使われてきたかという歴史的検討なしには問えないこと。そして、一九世紀西欧に出現し流通した「神秘主義（mysticism）」という新語は、合理主義、世俗主義、植民地主義に掉さして発展した近代西欧の学知が、西欧の内外に発見された他者たちの宗教的知のあり方を語るために用いた術語だったということだ。

近代に現れた神秘主義という概念は、近代西欧の学知にとっての「他者性」を帯びている。たとえばショーペンハウアー（一七八八〜一八六〇）は、インドの宗教伝統に深く魅了され、プラトンもカントも超える「神秘的」叡智をそこに認めた。今日、このようなまなざしに潜むオリエンタリズム的偏見が問われるべきことはいうまでもない。しかし、インドのそれであれ中国のそれであれ、あるいは西欧キリスト教のそれであれ、「神秘主義」への視線が、西欧の哲学的知の彼方への視線と重なりつつ生成したということは、従来の哲学のあり方を根本から問いなおそうとする試みにとって、きわめて興味深い思想史上の事実ではないか。近年世界的に再評価の動きが著しい哲学者、アンリ・ベルクソン（一八五九〜一九四一）の最後の大著『道徳と宗教の二源泉』（一九三二年）における神秘主義の異様な存在感を想起してもよい。

†秘められた知への愛

神秘主義が哲学のあり方を問いなおすラディカルな論点を提起するとして、それは具体的にどのような論点でありうるか。ひとつの可能性を「秘められた知への愛」という動態に求めたいと思う。

アビラのテレサ（一五一五〜一五八二、以下、テレサ）と十字架のヨハネ（一五四二〜一五九一、以下、ヨハネ）――『二源泉』のベルクソンを深く魅了した二人――を頂点とするスペイン神秘主義にまずみえる特徴は、神を語る言葉を駆動し、当の言葉そのものに滲みでる情熱（パッション）の激しさにある。テレサやヨハネにとって神は「神秘的叡智」そのものだが、けっして形而上学的思弁の対象ではなかった。神は文字通り「恋人」であり、彼らは知る者である以前に「愛する者」であった。

彼らが紡ぎだす愛の言葉は、キリスト教霊性史においては雅歌解釈の系譜に属する。旧約聖書の一篇である「雅歌」は、元来は民間の恋歌ないし祝婚歌であったと考えられるが、キリスト教世界において花婿がイエス・キリスト、花嫁が信徒の魂として解釈されることで、いわゆる「婚姻神秘主義」（神と魂の結婚をめざす語り）の端緒が開かれた。西欧キリスト教世界に決定的な雅歌解釈を提示したのは、一二世紀に活躍したクレルヴォーのベルナルドゥス（一〇九〇

〜一一五三）である。彼は、神と魂の「永遠の結婚の神秘」を歌うテクストとして雅歌の愛の世界を甘美な言葉で説いた。彼はまた、雅歌を「経験の本」として読もうとした。当時台頭しつつあったスコラ神学の論証重視とは対照的であるその経験重視の姿勢も、後世の神秘主義に多大な影響を与えた。雅歌解釈の伝統のなかでも、テレサとヨハネの存在は傑出している。彼らの神語りは思弁的学知の言葉によるのではなく、時にエロティックな愛の言葉による。

この点、スペイン神秘主義は、いわゆるドイツ神秘主義の系譜とも対照的である。後者については、本邦でも京都学派以来の哲学的研究の蓄積があるが、その思弁的性格に哲学との相性の良さがある。他方、前者については、ベルクソンのような例はあるものの、哲学的研究の対象として積極的に取り上げられてきたとは言い難い。概してそれは哲学より神学の対象、そうでなければ文学や詩学の対象とみなされてきたといえよう。

しかしながら、ここで思い起こしたいのは、そもそも哲学（フィロソフィア）とは元来、ギリシア語で「知恵（ソフィア）」を「愛する（フィレイン）」という語義をもつことである。明治初期に哲学という訳語を造った西周（一八二九〜一八九七）は、フィロソフィーを当初「希哲学」と訳した。後の訳語では落ちてしまった「希う（こいねが）」という動態に注目するとき、神秘主義と哲学のあいだの接点が浮かびあがってくるように思う。というのも、私見では、既成の知の彼方なる根源の知（神秘的叡智）を希う無窮の運動そのものに近世神秘主義の本領は見いだせるからだ。この希求は、思弁による知というより、まさに「愛する」という動態そのものとしてある知、愛に焦がれる知として捉えるほうがふさわしい。

本シリーズ第1巻第6章において松浦和也は、「知に関して完全である状態と、われわれ人間の現状との間の距離を自覚し、それでもなお完全な状態へと近づこうとする中で現れる謙虚さと羨望」に古代ギリシアにおける「哲学」の本質的要素をみている（傍点引用者）。この「それでもなお」は、神秘主義の愛の言葉のメルクマールでもある。近世神秘主義は、神的存在に帰一融合することを究極目的とする思想ではないし、まして言葉を超えた非合理的体験に自己閉塞するものでもない。「語りえぬものについては、沈黙しなければならない」というウィトゲンシュタイン（一八八九～一九五一）の哲学的命題は、言葉を絶した神秘体験なるものを論じる際にも間々持ちだされるけれども。しかし、たとえばオルテガ・イ・ガセット（一八八三～一九五五）は、「語ること」を旨とする哲学から、言葉ならぬエクスタシーに訴える神秘主義を区別する一方、神秘家をして「最も驚嘆すべき言葉の遣い手、最も精緻な書き手」と評した。神秘主義とはある卓越した言葉の活動であり、そのかぎりにおいて哲学は神秘家たちから多くを学びうると主張したのである。

体験ではなく言葉を焦点とするなら、神秘家とはおそらく、語りえぬものを、それでもなお語らずにはいられない者の謂である。神という見果てぬ他者に恋焦がれる彼らの言葉は、なにか根源的な愛に駆動されている。本章で扱うスペイン神秘主義の二つの星であるテレサとヨハネは、世界（希）哲学史上、それぞれに「秘められた知への愛」の比類なき証言者であるとも思われるのだ。

2 スペイン黄金世紀と神秘主義

†二つのベクトル——外向と内向

一四九二年、イベリア半島におけるイスラームとの戦い（国土回復運動（レコンキスタ））に決定的勝利を収め、新大陸の征服に乗りだしはじめたカトリック国家スペイン（カスティリャ）は、一六世紀に「黄金世紀（Siglo de Oro）」を謳歌する。この時代のスペインは、西欧における政治的覇権を握ったのみならず、文学や美術史上にも数多くの傑作の出現をみた。中世以来のカトリック主義を基調としながら近代的精神が開花してゆくところに、プロテスタント圏とは異なる近世スペインという時空の特徴がある。

近世スペイン・カトリック宗教史のドラマは、一見すると正反対の、二つのベクトルをもっていた。舞台の一方には、大航海時代の先陣を切り、遥か遠い国々へと繰りだしてゆく者たちの姿が認められる。西欧による新世界の「発見」と征服の歴史、その重要な一翼を担ったのはキリスト教宣教師たちであった。後述するように、世界宣教に決定的な役割を果たしたのは、一五三四年にバスク出身のイグナティウス・デ・ロヨラ（一四九一～一五五六）によって結成されたイエズス会である。ロヨラの同志ヘロニモ・ナダル（一五〇七～一五八〇）の宣言「全世界がわれわれの家である」は、かつてない規模で西欧世界の果てが拡がりゆく時代に発現した宣教活動の情熱をよく伝えている。

舞台のもう一方には、魂の内に深く沈潜し、自己の神経験を大胆かつ精緻に語りだすことで新たな霊性の地平を開拓した神秘家たちがいる。まず挙げるべきは、近世初頭のスペイン語圏に発生した照明派（アルンブラドス）と呼ばれる運動である。概して照明派は、反聖職者主義的傾向をもち、個々人の内面における照明体験を通じた神との直接的合一を説いた。

霊的生活の心理的側面を強調し、内面への沈潜を重視した代表的神秘家の一人に、フランシスコ・デ・オスナ（一四九七頃～一五四二）がいる。このフランシスコ会士の著『霊的アベセダリオ第三』（一五二七年）は五カ国語に翻訳されるなど広く読まれ、アビラのテレサの思想形成にも影響を与えた。その主題は「潜心（レコヒミエント）」の祈りである。これは、あらゆる被造物から離れ、魂の内から一切の観念を空にして、神にのみ注意を集中することを主眼とする祈りの技法であり、その最高段階において魂は真の神化に到達するという。

スペイン神秘主義の先駆者であり、広範な影響力をもった人物として、もう一人のフランシスコ会士ベルナルディノ・デ・ラレド（一四八二〜一五四〇）も重要だ。一五五六年にラレドの主著『シオン山登攀（とうはん）』（一五三五年）を読んだテレサは、「なにひとつ考えないこと」という表現に、自らの念禱（ねんとう）を説明するすべてを見いだした（『自叙伝』二三・一二）。ラレドは述べている。「この「なにひとつ考えないこと」のなかには広大な世界が含みこまれているので、完全な観想はそれ自体のうちに望まれるに値するものすべてを内包し、保持している」。外世界での活動に向かった同時代のエネルギーは、他方で魂の内奥へと向かい、そこに新たな内面性の世界を切り拓くような霊性の運動としても発露したのかもしれない。

†イグナティウス・デ・ロヨラとイエズス会

むしろ逆に、内面へと向かう霊的エネルギーこそが、近世スペインを大航海時代の覇者へと押し上げるような対外的推進力を駆動した——少なくとも、宗教改革以降のカトリック教会の霊性刷新の主翼を担い、世界宣教を先導したイエズス会についてはそうみるべきかもしれない。創設メンバーの一人、フランシスコ・ザビエル（一五〇六〜一五五二）が日本に初めてキリスト教をもたらしたことはよく知られている（本書第5章を参照）。イエズス会の特徴は、その機動力、行動力にある。修道院の静謐（せいひつ）な空間で神に祈りを捧げることに重きを置く「観想修道会」に対して、修道院の外に出て司牧や宣教に従事する「活動修道会」の典型とされることも多い。しかし、二〇世紀半ば以降の研究は、初期イエズス会の神秘主義的傾向に注目し、「より大いなる神の栄光のために」をモットーに掲げる彼らの外的活動が、内面的霊性の探求と切り離しては考えられないことを明らかにしてきた。

イエズス会士たちの活動力の根源にあったのは、創立者ロヨラがまとめた『霊操』という祈りの手引書である。この書の実践者は、霊的指導者の手ほどきを受けつつ、イエスの生涯のさまざまな場面を具体的に想像しながら瞑想を行い、魂の内に生じてくる変化を見極め、この世において進みとられるべき生きかたの——神から与えられた——指針とする。この、現実に対する処方的な観想プログラムのもとになったのは、一五二二年、スペイン北東部のマンレサの洞窟で修行生活を送るなかロヨラが被った一連の神秘的体験であり、その際に彼が得た洞察である。それは「すべてのことが彼にまったく新しいものになって現れるほど、偉大な照明体験であった」(『自叙伝』)。こうして「魂たちを助ける」活動に邁進してゆくロヨラだが、彼は『霊操』を通じて自らの経験を他のイエズス会士たちにも再体験させようとしたのである。

ロヨラの神秘主義は「活動のなかの観想」を到達点とする。晩年の彼は「多くの霊的な幻視や多くの慰めの恵みを受けたが、その慰めはほとんど普通の出来事のようであった」(『自叙伝』)といわれる境地に生きた。一五五一年六月の手紙のなかでロヨラは、学問を本分とする修学期生たちは必要以上の時間を瞑想に費やすべきでないと説き、次のように書いている。

修学期生たちは、あらゆる事どもに私たちの主を探し求めるべく努めることができる。それはたとえば、誰かとの会話のなか、あちらでもこちらでも、見ること、味わうこと、聞くこと、考えること、つまるところは私たちの活動のすべてに求めることができるのだ。(*Écrits*, DDB, 1991, p. 786.)

バロック期イエズス会最大の神秘家ジャン゠ジョゼフ・スュラン(一六〇〇～一六六五)は、「真の内面について」述べるなか、ロヨラが「市場の只中にいながらも礼拝室にいるときと同様の容易さをもって祈った」ことに言及している(『霊の導き』二・八)。ロヨラにとって観想と活動は区別されるべきものではなく、あるいは、西欧近代社会の前提条件である宗教的領域と世俗的領域の区別も自明なものではなかった。人間のすべての経験は神の現前の場でありうる。このことは、ロヨラやイエズス会に限らず、近世スペインの神秘家たちの活動全般を理解するうえでも基本的に重要な点である。一見したところ対立してみえる二つのベクトルは彼らの生において複雑に絡み合い、そのことが彼らの言葉に一種独特の緊張感を与えているのである。

3 アビラのテレサ

†経験の知

スペイン神秘主義、とりわけテレサのそれは、近代以降現代に至るまで「神秘主義」理解を深く規定してきた。神秘主義の本質を神秘体験にみるという近代的理解はかなりの部分彼女に負っている、とは言い過ぎだろうか。しかし、とりわけエクスタシー（脱魂）をめぐる彼女の詳細な体験談が後世にもたらしたインパクトの大きさは否定できない。なかでも、一五六〇年ごろ彼女の身に起こったという次の体験が有名である。

私は金の長い矢を手にした天使を見ました。その矢の先に少し火がついていたように思われます。彼は、時々それを私の心臓に通して臓腑にまで刺しこみました。そして矢をぬく時、いっしょに私の臓腑も持ち去ったかのようで、私を神の大いなる愛にすっかり燃え上らせて行きました。（『自叙伝』二九・一三）

天使が手にした火槍に心臓を刺し貫かれるというこの官能的な幻視体験のスペクタクル性は、信徒たちの視覚に訴えるイメージの力を動員した対抗宗教改革を背景に、一七世紀のバロック芸術を通じていっそう鮮明化した。とくにベルニーニの手なる彫像によって、テレサのエクスタシーはキリスト教史上にも最も名高い神秘体験の地位を占めることとなる。バタイユ『エロティシズム』(一九五七年)やラカン『アンコール』(一九七五年)など、何らかの神秘主義を扱った思想書、あるいは雑誌の表紙を飾ることも珍しくない。

ベルニーニ『聖テレサのエクスタシー』(1647-52年)　ローマ、サンタ・マリア・デッラ・ヴィットーリア教会

しかしながら、後述するように、このような神秘体験は少なくとも晩年のテレサにとっては重要な意味をもたなくなる。それはまた、現代の心理学で定義されるような変性意識状態に還元できるものではまったくない。彼女が形而上学的思弁の人ではなく情熱的な経験の人であったということは確かだが、問題はこの経験の内実だろう。

最も古い著作『自叙伝』(初稿一五六二年)から最も成熟した著作『霊魂の城』(一五七七年)ま

で、テレサの神秘主義は一貫して「経験」を要請する。「私は経験によって、それを知ってい るからこそ申すのです」(『自叙伝』一一・一三)、「私は多くの経験からそれを知っております」(同三〇・九)。彼女の神秘主義は経験に基づく知であるが、それは刹那的な体験による超常の知覚ではなく、一定の時間をかけて、実践のなかで身につき成熟してゆく知恵というべきものである。この意味での経験を、彼女は自らが指導する修道女たちにも求めた。「私があなた方に伝えたいことは、経験がなければ理解し難いのです」(『霊魂の城』一・一)。

テレサにおける経験の強調は、「女」としての自己意識・自己同定とも不可分である。時として彼女は、自らが一人の「女」であること、それゆえ愚かで無知であることを、自虐的に、しかし多分にユーモアを交えて強調する。彼女は、彼女の霊的な指導者である神父たち――「男」たち――を前に自らの学識の無さを告白し遜(へりくだ)るようでいながら、その実、自らの言葉が男たちの思弁的学知とはなにか異質な知である経験に基づくものであること、あるいはそのような経験を要請するものであることを大胆に訴えている。神の愛は、ただそうした経験――女の経験――によってのみ知られるというのだ。「こういう愛の大いなる熱情を経験したことのない人は、それがどういうものか理解できないでしょう」(『自叙伝』二九・九)。

†観想と活動

神は、神を愛する魂と共にある。数々の神秘体験に恵まれながら、内面的で受動的な観想生活を通じて得たこの洞察を、テレサは、カルメル会の改革と新しい修道院の創立事業において具体的に、活動的に生きた。ベルニーニによる彫像の艶めかしい恍惚の表情に目を奪われた者には見逃されがちな事実だが、彼女もまた「活動のなかの観想」の人だったのである。一五六七年八月のメディナ・デル・カンポ修道院創立を皮切りに、一五八二年に世を去るまで、スペイン各地に女子修道院一八、男子修道院一四――後者についてテレサに協力した一人がヨハネである――を数えるに至った運動の経緯や苦労は、彼女の著作『創立史』に生き生きと綴られている。

最大の傑作『霊魂の城』に明言されているように、テレサにとって神への愛と隣人への愛は究極的な二つの掟である（一・二・一七）。ところで、これら二つの愛の関係は、少なくとも二世紀以来、キリスト教の歴史においてギリシア哲学と複雑な関係をもった。「観想的生（bios theoretikos）」と「活動的生（bios praktikos）」というアリストテレス的区分に立つギリシア人たちにとって、前者は社会的日常から離れたところで究極的真理の観想を目指す哲学者の生であり、後者はポリスにおいて日常生活を営むその他市民たちの生であって、前者が後者に優越すると考えられていた。他方、キリスト教教理の基盤を築いた古代教父たちは、神愛と隣人愛とは不可分であると考えたが、観想的生が活動的生に優越するというギリシア哲学に、神愛がより霊的で卓越した愛であるという教説の論拠を認めたのである。

中世を通じて、神愛に対する隣人愛の、観想に対する活動の劣位という理解が大勢となった。その聖書的根拠となったのが、「ルカ福音書」に「マルタとマリア」として知られる箇所である（一〇・三八〜四二）。イエスへの給仕に忙しく動きまわる姉マルタの姿が活動的生に重ねられる一方、イエスの足元に座り込んでその話にじっと耳を傾ける妹マリアの姿が観想的生に重ねられた。そして、マリアにも給仕を手伝うよう求めるマルタの言葉へのイエスの返答「マリアは良いほうを選んだ」が、観想的生の優位を示す神の言葉として解釈されてきたのである。

この理解を根本的に問いなおしたのが、中世後期最大の神秘家ともいわれるエックハルト（一二六〇頃〜一三二八頃）である。彼によれば、むしろ神のために活動するマルタこそ理想の境地を生きている。それゆえにこそマルタは、マリアがもっぱら法悦を味わうに夢中で、霊的向上を忘れ、自己の欲求に囚われてしまっている、と心配したのだ。エックハルトはイエスの返答「マリアは良いほうを選んだ」を次のようにアクロバティックに解釈してみせる。

マルタよ、心配しないでいい、マリアは最上の分を選んでいる。今の状態もやがて止み、被造物が与りうる最高のものに彼女は与るであろう。彼女もお前のごとくに浄福になるであろう。（『ドイツ神秘主義叢書 2』上田閑照訳、創文社、二〇〇六年、一四三頁）

活動者マルタと観想者マリアの関係について、テレサの解釈は正しくエックハルトの延長上に位置づく。『霊魂の城』の「第七の住まい」――テレサは人間の霊魂を神が住まう水晶の城のイメージで描写する。城には七つの住まいがあり、その最奥である第七の住まいにおいて魂は神と霊的婚姻を果たす――の終わり近く、テレサは彼女が指導する修道女たちにこう呼びかけている。

主をお泊めし、いつも御一緒にいていただき、そして召しあがるものをさしあげないような心ない接待をしないためには、マリアとマルタが常に協力していなければならないのです。でも、マリアは絶えず主の御足もとに座っているのですから、もしマルタが協力しなければ、どうして主をおもてなしできるでしょうか。主の御食事、それは私たちができる限りの力を尽くして、人々の魂を主のみもとにお連れすることです。（『霊魂の城』七・四・一二）

魂と神との霊的婚姻が成就する「第七の住まい」においては、『自叙伝』などに執拗に描写されていた鮮烈な神秘体験の類は消え去り、魂はある種の静謐を湛える。この段階にある魂への神の現前は、灯りのない暗い部屋のなかにいるためにその姿を見ることができないが、しかしたしかにそこにいる友の姿に喩えられる。神秘体験を通じた判明な現前と対比されるこの暗き現前について、テレサの次の言葉に注目したい。

こうした神の現前は、それが最初に示されたとき、あるいは何らかの場合に神がこの慰めをお与えくださるときのようには完全でない、つまりはっきりしていないことにあなたがたは注意してください。なぜなら、もし完全ではっきりしていたら、魂はもう他のことを考えることも、人々のなかで生きることもできなくなってしまうでしょうから。(『霊魂の城』七・一・九)

鮮明な体験を去って「人々のなかで生きる」魂、つまり直接的な体験よりも隣人への愛に駆られて活動する魂に永続する神の「現前」――姿は見えなくとも傍らにいる神――を語るテレサの言葉は、そのまま彼女自身の晩年の魂の境地をいうものだろう。

†女たちの言葉

「結局のところ、私は女であり、しかもよい女ではなく悪い女です」(『自叙伝』二八・四)。

テレサはその著作中で繰り返し、自らを含め「女たちの弱さ」に言及する。弱さとは、第一には学問の無さである。学問は男たちのものである。だが、先述したように、一見自虐的にもみえる女の劣位の強調は、時として、学問を超えた神の知に近づく女の優位を大胆に主張する言葉に反転する。神の知は、神学よりも経験、学識よりも愛によって受けとられるべきものだとすれば、前者から構造的に排除されてしまう女たちこそ神の知に近いといえるからだ。

このことに関連してもうひとつ注目しておきたいのは、神の言葉を読む女たちの言葉のあり方である。「主の言葉は、ただ一句のうちにも千の秘義を宿しており、その最初のものさえ、私たちの理解力を超えています」(『雅歌瞑想』一・二)。この「私たち」は、第一にはテレサと彼女の指導を受ける修道女たちとを指している。学問によって真理を究めんとする男たちとは異なり、「女には、自分に理解できることだけで充分」と彼女は断言する。

しかし、この言葉はけっしてたんなる謙虚さの表明ではない。この言葉は「主がそれ以上のことを悟らせようとなさる時には、私たちのほうでなにも考えず、なにもしなくとも、ひとりでに分かってしまいます」という確信に裏打ちされているからだ。神の知は、男女を問わず、およそ人間の知を超絶している。それは見いだすというより与えられるべきものであり、究明するというより待望されるべきものである。

説明や釈義が目的でないとするなら、テレサは神の言葉をどう読もうというのか。彼女はいう。私が人知を超えた神の言葉をあえて読もうとするのは、それを読むことが自らにとって大いなる慰めであり歓びであり、あなたがたにとってもそうであるはずだからだ、と。次に引用するのはテクストの最後に記された言葉である。

私が語ったことのなかになにかよいことがあるとすれば、それは私から出たものではないことが、あなたがたにはよくお分かりになるでしょう。（中略）どうか、ここに書いたことを、経験によって知る恵みを、私のために主に祈ってください。このような恵みのうちのどれかを受けていると思うかたは、主を讃美し、そこから受ける利益が自分一人のものとならないよう、私のためにも同じ恵みを祈り求めてください。（『雅歌瞑想』七・一〇）

秘められた神の知に焦がれる女たちの言葉――それ自体が祈りの様相を帯びる――が語るのは、人知を隔絶した神の真理でもなければ、個々に閉じた経験でもなく、神の言葉を読み、そして語る歓びそのものである。それはまた、私とあなた（たち）とのあいだで分かち合われ、共にされることによって深まるような歓びである。

4 十字架のヨハネ

†詩と散文

テレサのように自らの内的体験を率直に語ることがないこともあって、ヨハネの生涯における内面的な変遷を残された史料から窺うことは難しい。しかし、カルメル会内の改革反対派の標的となったことから、一五七七年一二月から翌七八年八月まで、九カ月の長きにわたってトレドの修道院に幽閉された経験は重要である。暗く狭い獄中で、ヨハネは現在知られている著作の最初のものとなる幾つかの詩作品を著した。今日彼の著作はスペイン文学史上の珠玉と評されるが、詩人の創造性を解放したのは苛酷な監禁生活だったわけである。

トレドで書かれた詩歌をきっかけに、ヨハネは神の愛(神への愛でもあり、神からの愛でもある)から溢れ出る言葉を綴りだしてゆく。テレサにとってと同じく、ヨハネの神語りにとっても、神と魂との霊的婚姻のものがたりとして読まれた「雅歌」が根本的なモチーフになっている。『霊の讃歌』の冒頭においてヨハネは、本来人間の言葉では語りえぬ神の愛を歌う自らの詩が、

「雅歌」と同じくさまざまな象徴や比喩を用いていることの必然性を説きながら、次のように述べている。

豊かな神秘的知に満ちた愛のはたらきによって作られたこれらの詩を、正確に説明するのは不可能ですし、私が意図するところもそれではなく、ただ、一般的ないくらかの光を与えることだけです。（中略）愛のためにある神秘的叡智は――この詩のなかで扱われているのはまさにこの叡智なのですが――霊魂に愛と愛情の効果を生じさせるために、判明に理解される必要がないからです。それは信仰の場合と同じで、私たちは理解することなしに神を愛するのです。（『霊の讃歌』序言）

ヨハネの主著とされるのは、『カルメル山登攀』、『暗夜』、『霊の讃歌』、『愛の生ける炎』の四作である。ところでこれらはいずれも、自らが詠った抒情詩に自ら註解を付けるという独特のスタイルで書かれている。語りえぬものを語ろうとする神秘家にとって、何を語るかということ以前に、いかにして語るか（言葉を立ち上げるか）ということが死活的な課題になるとすれば、詩と散文の混交というこのスタイルの意味を考えることが、ヨハネの神秘主義理解のためには不可欠である。

この点について、神秘主義研究に現代的境地を拓いたミシェル・ド・セルトー（一九二五〜一九八六）の洞察を参照しておきたい。「これら二つの言いかた〔詩と散文〕は、プラトンの『饗宴』に描かれている両性具有者（アンドロギュノス）の二つの半身のように、一方が他方をこだまさせている。互いに互いを求めあい、呼びあい、変容させあい、絡まりあっている。分化し区別されることによって、二つのあいだに不思議な結びつきが生まれる。どちらもどちらを排除することなく、どちらかが作品の「真理」であることもない。両者の分化、二つの言いかたのあいだに開く裂け目は、「いずれか一方なしに他方もない」と定式化できる動態のきっかけとなる」（*La fable mystique*, t. 2, Gallimard, 2013, p. 123-124）。詩と散文という二つの異なる文体が、互いに他なるものでありながら互いに呼び求めあうことで、そのあいだに新たな言葉を生みだすのである。

†暗夜

暗き夜に
炎と燃える　愛の心のたえがたく
おお　恵まれし　そのときよ
気づかるることもなく　出づ

すでに　わが家は　静まりたれば（奥村一郎訳）

「暗夜」は、イメージに富むヨハネの愛の言葉がそこから湧き出てくるような源泉であり、彼の言葉がそのなかで展開してゆく舞台であり、あるいは新たな言葉の地平を切り拓く動因である。いわばヨハネの神秘主義の根源語であるが、なにゆえ暗夜といわれるのか。

神との合一へと向かう魂の道程を暗夜と呼ぶ理由を、ヨハネは最初の著書『カルメル山登攀』において三つ挙げている（一・二・一）。第一に、魂は神へと向かうにあたり、まずはあらゆる被造物への欲望を絶たなければならないが、出発点において要請されるこの剝奪や欠如は、人間の感覚にとって暗夜のようなものであるから。第二に、神へと向かう途上にある魂の道は信仰であるが、この信仰は知性にとって夜のように暗いものであるから。第三に、至りつくべき終局点である神は、この世にある者にとって認識を超えた暗夜であるから。これら三つの暗夜はそれぞれ宵、真夜中、黎明に相当する。

このうち最も暗い夜が真夜中、つまり信仰の暗夜である。これは知性の暗夜とも呼ばれる。キリスト教において信仰という認識が、知性による把握を超えた神的なものに関わるがゆえに「暗い」という解釈は、ニュッサのグレゴリオス（三三五頃〜三九四以降）や偽ディオニュシオス（五〇〇頃）をはじめ、ギリシア教父以来の伝統をもつ。だが、そのなかにあっても際立つヨハネの特徴は、物質的なものだけでなく霊的なものも含めて、いかなる個別的な認識も体験も、神へと向かう道を阻むものであり、ゆえに拒否しなければならないと主張する点にある。幻視や啓示など「超自然的な賜物」すら退けて信仰の暗さのなかに留まるべきとは、輝かしい体験に恵まれたテレサの言葉とは好対照をなす、ヨハネの「無の道」の要請である。すべて「判明で個別的」なものは神との合一から遠く隔たっているものとして拒絶されるのに対し、ただひとつ「暗く、曖昧で、漠然とした」観念であるところの信仰のみが肯定される（『カルメル山登攀』二・一〇・四）。ヨハネの信仰は、デカルト的な近代哲学の真理基準である「明晰判明」とはおよそ対極的な基準を有するともいえる。

すべて神ならぬ認識や体験へのこだわりを厳に戒めるヨハネの暗夜は、そのうちで魂が霊的な荒み、乾き、苛烈な苦しみを被る「冷たい夜」としての一面をたしかにもつ。ヨハネは、暗夜を行く魂は時として神に見棄てられたという絶望感に取り憑かれるという。こうした夜の否定的側面は、『カルメル山登攀』に続く『暗夜』においてよりいっそう明確化する（二・六・二など）。

たしかに、信仰の暗夜はいずれ黎明を迎える。ヨハネがその著作のなかで偽ディオニュシオスの『神秘神学』にみられる「闇の光線」という表現を四度引いていることも見逃せない。しかし、偽ディオニュシオスや彼に続く神秘神学者たちが語った形而上学的な「神の闇」とは異なり、ヨハネの暗夜は、神を希求しながら神の不在に苦しむ魂の内的経験を抉りだす。それはまた、知的認識の彼方に広がる非知の闇であるというよりも、信仰の道そのものである。さらにそれは、後述するように、黎明に至ってもなお或る暗さを残すのである。

†愛の炎

ヨハネの暗夜はしかし、けっして否定的側面に還元できない。「暗き夜に炎と燃える」愛の焦燥こそ、彼の神秘主義の真骨頂である。見果てぬ神に焦がれて暗夜に彷徨う信仰者の魂に「愛の炎」は燃え立つ、とヨハネは語る。「この暗い窮地のさなかにあって、魂は、神についての或る種の感覚や予感のようなものを抱き、強烈な神の愛によって、激しく、鋭く傷つけられたと感じる。（中略）この時、霊は強い愛に燃え立っていることを感じる。なぜなら、この霊の燃焼は、愛の熱情を生じさせるからである」（『暗夜』二・一一・一〜二）。このとき、神を求める信仰は「暗く、曖昧で、漠然としていながら、愛に満ちた」観念となる。過酷な夜の冷たさから、一転して魂を焦がす「熱」を帯びるヨハネの暗夜は、信仰論であると同時に、あるいはそれ以上に「愛」の教えである。

神の愛を語るヨハネの言葉は、未完に終わった『カルメル山登攀』と『暗夜』（本来この二著作は、同じ詩を註解するひとつの書物を構成するはずだった）においてよりも、執筆年代としても後にくる二つのテクスト、すなわち『霊の讃歌』および『愛の生ける炎』において大胆さを増す。「どこにお隠れになったのですか／愛するかたよ、私をとり残して、嘆くにまかせて」と語りだされる四〇節の詩、およびその註解からなる『霊の讃歌』は、より直接的に「雅歌」をモチーフとした神と魂との恋愛譚、婚姻譚である。「おお愛の生ける炎！／やさしく傷つける／私の魂の最も奥深い中心で！」から始まる四節の詩と註解で構成される『愛の生ける炎』では、『霊の讃歌』に成就した霊的婚姻においていっそう燃え上がる愛の炎が語られる。

先述した「暗夜」の三区分に従えば、『霊の讃歌』と『愛の生ける炎』の二著の主題は、最も暗い夜を抜けて黎明を迎える魂の内に燃え立つ神の愛である。「夜」というイメージに加えて、多様な意味をもつ「炎」のイメージが前景化するのである。

しかし、黎明の光は、いまだ昼間の光ではない。このことについては、『霊の讃歌』に詠われた詩の一節「（あのかたは）あけぼののがたちそめるころの／静かな夜／沈黙の音楽（しらべ）／ひびきわたる孤独／愛に酔わす、たのしい夕食（ゆうげ）」（第一五の歌）にヨハネが加えた註解を確認しておきたい。

ここでこの神的光を「あけぼののがたちそめるころの」光、すなわち朝と呼ぶのは、きわめて適切である。なぜなら、朝が明けはじめると、夜の暗さは追い散らされ、昼の光が現われるように、神において静かに憩うこの霊は、自然的認識の闇から神の超自然的認識の朝の光へとあげられるのだから。この認識は、明るいものではなく、すでに述べたように、「あけぼのがたちそめるころの」夜のように暗い。「あけぼのがたちそめるころの」夜は、すっかり夜というわけでもなければ、すっかり昼というわけでもなく、いわば二つの中間にある。

(『霊の讃歌』一四―一五・二三)

ヨハネのいう暗夜の「暗さ」は多義的であることに注意が必要だ。神との合一へと向かう魂の道程は、「自然的認識」の闇を追い払うが、そうして迎える黎明の「超自然的な光」は相変わらず暗いのである。この光は、愛の炎が発する光であり、視覚的な光であるというより、姿なき神を希求する信仰者の魂を焦がす熱である。ヨハネはいう。「愛に満ちた超自然的観念」は「事物を熱する熱い光のようなもの」である。なぜなら「この光は同時に熱愛する光だからである」(『愛の生ける炎』三・四九)。ヨハネが「光の神秘家」ではなく「熱の神秘家」といわれる所以(ゆえん)である。神との愛の交わりを語るに、視覚(見ること)よりも触覚(触れること)が重視されていることも付言しておこう。

『霊の讃歌』そして『愛の生ける炎』においては、『カルメル山登攀』および『暗夜』にはなお残っていたスコラ神学的な語り口――用語選択や概念区分の様子などにみてとれる――はなりをひそめ、より多様な、より謎めいた比喩や象徴を織り交ぜて、よりのびやかな語りが展開してゆく。先にテレサの体験とヨハネの「無の道」との対照的性格に言及したが、暗夜に燃える愛の炎を語るヨハネの言葉は、テレサの「女」の語りの大胆さを思わせる。ヨハネに対するテレサの影響（あるいはその逆）は、史料上の制約もあってはっきりしたことはわかっていない。だが、ヨハネによる自作の詩の註解が、多くの場合、修道女たちの求めに応じて、修道女たちのために行われたという事実は強調されてよいと思われる。ヨハネの愛の言葉も、ひとり私と神のあいだにのみならず、共に神を希求する私たちのあいだに息づいていたのである。

5　神秘主義のゆくえ

一六世紀スペイン、そして一七世紀フランスに花開いた近世の神秘主義（la mystique）は、啓蒙の世紀の到来とともに黄昏を迎える。それが近代的な神秘主義（mysticism）概念の形成とともに「再発見」されるのは一九世紀半ば以降のことである。

これはすでに一七世紀からみられる傾向だが、近代から現代にかけて、テレサとヨハネの神秘主義は、往々にして一面的な、あるいは両極端な評価を受けてきた。テレサについてはすでに述べたように、概してその情動的な体験が強調されてきた。とりわけ一九世紀後半に誕生した神経病理学や精神分析学は、テレサの神秘体験を女性特有のヒステリーの典型的症例として扱った。他方でヨハネについては、「無の道」や「冷たい夜」の側面がまず注目され、テレサとは対照的に神秘体験を徹底的に批判する峻厳な神秘家とみなされることが多かった（ユイスマンスなど）。

だが、そうした理解はテレサやヨハネの神秘主義の動態を捉え損ねている。看過され、あるいは矮小化された問題は「言葉」であり、「愛」であった。神秘家たちの言葉は、秘められた叡智に恋焦がれる——しかし自己閉塞とは無縁な——言葉である。かくして近世神秘家たちの言葉を読みなおすことは、「愛知」としての哲学の問いなおしという試みに根本のところで結びついているように思われる。

＊アビラのテレサ、十字架のヨハネの著作からの引用については、以下の邦訳を参照した（一部訳を改めた箇所もある）。
アビラのテレサ：『イエズスの聖テレジア自叙伝』東京女子カルメル会訳、ドン・ボスコ社、一九六〇年。『霊魂の城』鈴木宣明監修、高橋テレサ訳、聖母の騎士社、一九九二年。『イエズスの聖テレジア小品集』東京・福岡女子カルメル会訳、ドン・ボスコ社、一九七一年。
十字架のヨハネ：『カルメル山登攀』奥村一郎訳、ドン・ボスコ社、二〇一二年。『暗夜』山口女子カルメル会訳、ドン・ボスコ社、一九八七年。『霊の賛歌』東京女子跣足カルメル会訳、ドン・ボスコ社、一九六三年。『愛の生ける炎』ペドロ・アルペ、井上郁二訳、ドン・ボスコ社、一九八五年。

さらに詳しく知るための参考文献

ルイ・コニェ『キリスト教神秘思想史 3 近代の霊性』(上智大学中世思想研究所訳・監修、平凡社、一九九八年)……第一部で一六世紀スペイン、第二部で一七世紀フランスを扱う。膨大な人名と書名をカヴァーし、近世カトリック神秘主義について基本的な知識と包括的な見通しを与えてくれる。巻末の邦語文献目録も便利。

鶴岡賀雄『十字架のヨハネ研究』(創文社、二〇〇〇年)……いわゆるフランス現代思想、とくにその言語をめぐる知見を駆使しつつ、ヨハネという「熱の神秘家」のテクストに潜むイメージの論理を精緻かつ詩的に読み解く。旧来の神秘主義理解を拡充し、現代的な神秘主義研究の可能性を本邦においていち早く示した著作である。

上田閑照『非神秘主義——禅とエックハルト』(岩波現代文庫、二〇〇八年)……神秘主義の極致を合一の経験にみながら、むしろそこから脱却してゆく「非神秘主義」をこそ「真の神秘主義」とする独自の思索を展開。本章でも論及した「マルタとマリア」についてのエックハルトの説教が重要な思考の鍵になっている。

宮本久雄『パウロの神秘論——他者との相生の地平をひらく』(東京大学出版会、二〇一九年)……イエスに開示された神の愛を「神秘」と呼んだパウロに、現代世界の危機を超克する「相生」の可能性を探る。キリスト教における神秘の理解を深く新しくしてくれるとともに、近現代の知のラディカルな問いなおしの場に「神秘」という言葉が現れる意味を考えさせる。

第3章

西洋中世の経済と倫理

山内志朗

1　中世における経済思想

†商業革命

中世末期から近世にかけての世界哲学を展望する場合、経済活動の急激な発展を無視することはできない。人類が大航海時代に突入し、世界がシステムとしての緊密な結びつきを持ち始めるようになったとき、哲学も世界システムの動因となっている経済活動をめぐる思索に踏み入らざるを得なかったのである。

中世スコラ哲学に経済学があったというのは意外な感じを与える。経済学の歴史はアダム・スミス（一七二三〜一七九〇）に始まるとされているからだ。だが、本邦でも上田辰之助（一八九二〜一九五六）が戦前すでにトマス・アクィナス（一二二五頃〜一二七四）の経済学研究を行い、中世における経済学の存在を証明していた。それどころか最近は資本主義の萌芽が中世に見出されるという主張まである。

中世の経済学ということは現代人には考えにくい。だが、古代から人間は経済活動においてはきわめて合理的にシステムを考えてきた。経済はいつも経済学を越えているのだが、中世に経済学があっても何の不思議もない。中世も沈滞していたのではない。激動の時代にあった。一二、一三世紀は、遠隔地間の大規模商取引の発展の時期であり、「商業革命」と呼ばれてもよい時代であった。

商業による利益は古来非難されてきたが、中世半ばに正当化されるようになり、利子も公に認められるようになった。つまり、商業活動から生まれる収益に遅延や損失が生じた場合、教会は商人が補償金を受け取ることを認めた。市場の機能が倫理と心性のなかに、偶発性、リスク、不確定性といった概念をもたらしたのである。

経済活動を活性化し、市場の閉鎖性を打破するものは、バイキングや騎馬民族など、大規模に移動する人々であった。中世はそういう人々が増えたのである。モンゴル帝国によるユーラシア大陸の東西貫通の影響によって、遠隔地の物資が交易されるようになった。その結果、遠隔地のものは稀少性を有するものとして珍重され、運搬の費用が重なって、高価な商品として取引されるようになった。交通の発達が新しい価値を大きく作り出した。

現実の経済活動は活発であったとしても、経済学的思考は、全面的に展開されていたわけではない。中世の経済学の枠組みを考える場合、主題として論じられてきたのが「公正価格論」と「徴利論」である。中世には商業革命があっただけではなく、理論的枠組みにおいてパラダイムチェンジがあった。その焦点の一つが「徴利」なのである。「徴利」とは「高利」などと訳されるもので「利子」のあり方なのだが、独自の意味合いと心理的排斥が込められており、次節で説明する。

ギリシア以来、すべての経済行為は等価性を規準とし、貸借において、返却が時間を経た後であったとしても、無利子で、元本と同額の金銭を返却するのが基本とされていた。これはローマ法（市民法）においても教会法においても同様であった。

このような等価性を基本とする理論的枠組みは現実から乖離したものであった。利子は表立って認めないとしても、利子を認めざるを得ず、そして実際に常に利子に相当するものは認められていたのである。それが「発生損害」と「逸失利益」などという名目で請求されていたのである。特に重要であったのは、「海上保険」であった。利子としてではなく、損害賠償として、元本よりも多くの金額を返却することが慣習的に行われていたのである。

さて、一三世紀まで以上のような枠組みは続いていたのだが、一三世紀末に利子肯定論が登場するのである。これは、単なる経済史の問題ではなく、法学、哲学、神学などの基本的枠組みの変更をめぐる根本的変革であった。

†徴利と利子

教会法においては、元金以上に返済を求めることは、「徴利（ウズラ）」と見なされ、激しく憎み嫌われた。「徴利」とは、貨幣の使用に対する使用料を意味していた。原始キリスト教団は、貧困者、病者など社会的弱者の救済を目指す宗教運動であり、富と貨幣を憎悪し、商業金融活動を疎んじており、その傾向が中世においても継承された。

徴利と利子は事実上同じものだが、利子は現実的に制度としては、様々な名前で運用されていたが、それが倫理神学の場面では、大罪として激しく糾弾されるものとなっていた。倫理神学的に是認されない限り、世俗的な場面で大手を振っての運用は生じにくい。徴利が全面的に社会通念において是認されるのは、一八世紀を待たねばならないが、徴利を認め、商業や金融に従事することが倫理神学的に認められるという思想が現れ始めたのが、一三世紀なのである。

徴利は、中世の社会的害悪の中で最悪のものであるとスコラ学者たちは考えていた。徴利を受けとる者（高利貸し）は、生きている間には「ゲヘナの火（麦角病）」に、灼かれながら激烈な痛みの中で苦しみ続け、死ぬときには臨終告解をしようにも、口から火が出て告解ができないか、告解ができないうちに急死することが運命づけられるほど、大罪のうちにあると考えられていた。彼らは必要不可欠な存在でありながら、以上の呪詛に見られるように、徹底的に嫌われ憎まれたのである。

しかしながら、この徴利とは、「消費貸借」との関連でのみ生じることであり、それ以外の契約形態においては生じなかった。この「消費貸借」というローマ法において基本となる交換関係は、「売買」とほとんど同じように見えても内実が異なっている。消費貸借とは、代替可能な商品であって、使用が実体から分離されないものに適用される貸借であった。つまり、使用してしまえば、消費されてなくなるものに適用されたのである。消費されるにもかかわらず貸借と分類されたのである。ここで、代替可能なものとは、穀物やワインや金銭であった。対照的に、代替可能でない商品とは家屋や土地や馬といったものである。それらの貸借は「使用貸借」と言われた。

代替可能な商品とは、使用されることで消滅してしまう商品である。そして、貨幣の概念を考える場合に決定的に重要なことだが、中世では、貨幣もまた代替可能な商品と考えられた。その論拠が、金銭は不妊・不毛であるということだった。この消費貸借のルールは、すでにローマ法の中に見出されていたが、教会法の中でも、確固たる常識となっていた。

†消費貸借と利子

消費貸借には利子が付かないというのが基本的大原則であった。「元金以上に要求されるものは徴利である」、グラティアヌス教令にはそのようにある。徴利は、正義に対する罪、大罪である。特に、徴利は時間の窃盗であり、時間は神のものである以上、聖物売買の罪と見なされた。

徴利は隣人愛に反する行為であり、地獄行き必定（ひつじょう）の大罪であったのである。一年に一回規定された告解においては申告の必要のある事例であり、従って、中世の『聴罪規定書』には必ず徴利に関する章が存在していた。

しかしながら、一二世紀末以降、状況が変わっていく。遠隔地との交易が盛んになるにつれて、大型船舶が製作されることによって交易の収益も跳ね上がったが、同時に遭難の被害、リスクも顕著になっていった。逸失利益や損害発生が、損害賠償（インテル・エッセ）として価格に組み込まれるしかなかったのである。インテル・エッセとは、「間に存在する、関係がある」ということを意味するが、経済価値において、不足分にしても増加分にしても、本来あるべきものが別のところに離在していて、そういう存在するものと不在なるものとの関係を表す概念だったのである。存在の関係の中に倫理が立ち現れる。

2　清貧と経済思想

†貨幣の種子的性格＝資本

貨幣とは、不妊・不毛であるというのがローマ法以来の常識であった。この「不妊・不毛」であるという性質は、大域に及ぶ大規模な交易がない時代においては、貨幣の安定性につながるもので望ましかったのだろう。トマス・アクィナスは、貨幣の機能として二つのことを挙げている。一つは、交換の媒体ということである。交換の媒体である以上、交換において流用されることなく消費されることになる。もう一つは、貨幣は自ら有用性の尺度を得ることはできなくて、貨幣によって価値が評価される商品に基づいて、そして貨幣と商品を交換しようという人の見積もりによって尺度が与えられるのである。

このような貨幣観においては、利子も徴利も不法行為なのである。徴利が不法であることは、トマスによると、三つの論拠で示すことができる。①徴利は時間を売買することだが、時間は神から万人に与えられているものであり、万人に与えられているものを売買はできないし、神から与えられたものを売買するのは、聖職売買・聖物売買であり、大罪である、②徴利において、元本と返済金は等量であり、その上で、利子をとることは、同じものを二度売ることになる、③徴利において、元本と返済金との間において交換は済んでいる以上、利子をとることは無（nihil）を売ることになる。これら三つの論点は、聖書に記された典拠、教会法による典拠、ローマ法に基づくもの以外に、理性的に考えても、不法であることを示そうとしたものと考えられる。

現代から見ると、ここでの思考法は理解しにくい。トマスにおいて、徴利も利子も区別されていない。元本以上に要求することはすべて無条件で悪なのである。消費においては、事物の使用と事物そのものが重なっていて、消費によって事物は存在しなくなる。消費によって存在しなくなるもので代金をとることは、存在しないものを売ることであり、不可能なことである。貨幣を貸す場合もそれは消費貸借と見なされ、元金を返しただけで消費貸借は完了し、利子をとることは非存在者を売ること、または、同じものを二度売ることと考えられた。存在と非存在の関係は経済行為において屈曲したあり方を有していたのだ。

耐久消費財の場合は、貸借によっても事物は存在し続け、使用を売買することはできる。しかし、消費貸借においては、消費によって事物は存在しなくなるので、使用を売買することはできないと考えられている。貨幣は使用によって「消費」されるものだと考えられている。貨幣の使用を売買することは認められていないのである。許されるのは、貨幣については損失の回避だけである。こういった現代から見るときわめて不思議な考え方は、中世の経済的思考を決定的に拘束していた。この呪縛からの解放を行ったのが、清貧の思想を具体化した「貧しき使用」という概念だったのである。

ただし、トマスは、全面的に利子を否定しているのではなく、利子を払うことを条件に金銭を借りるのであれば、利子の罪を善のために活用しているから許されると見なしている。

†アッシジのフランチェスコ

中世は商業革命の時代であり、そのただ中で裕福な商人の子として産まれたのが、アッシジの聖フランチェスコ（一一八一頃〜一二二六）である。彼は、その実の父を否定し、天の父に仕え、清貧を貫いた。中世神学の錯綜と変化を実存において体現した人物だった。

フランチェスコは貨幣を拒否した。彼は商人の父を否認し、イエスのように裸で、貧しく暮らし、貧困の中で説教した。しかしながら、当時でさえフランチェスコは商人の長であり、その庇護者であると見なされていた。イタリアの歴史家トデスキーニ（一九五〇〜）は、さらに一歩進めて、フランシスコ会は一貫して「自発的貧困から市場社会へ」と導いた修道会における富の本質を正当化しようとした。

フランシスコ会は、開祖フランチェスコの清貧理念に共鳴し、それを日常生活で実践しようとした。清貧を徹底し、一切の所有権を捨てて、従来の修道会のように共同所有さえ認めなかった。貨幣を拒否し、財の蓄えも認めず、日常生活に必要なものは労働と托鉢でまかなった。貨幣に代表される富、都市と商業が生み出す利益のすべてを拒否する集団として現れた。

そのなかでも急進派だったのが、聖霊派（スピリトゥアル派）であり、その代表的思想家がペトルス・ヨハネス・オリヴィ（一二四八頃〜一二九八）だった。オリヴィは同時に貨幣不妊説を乗り越え、経済活動を推進するための商業・商人論を展開したのである。それは「清貧のパラドクス」として考えられてきた。

このオリヴィの思想が見出されたのは、案外最近であり、一九七〇年代になってやっとフランシスコ会急進派の中に革新的な経済論が存在していたことが発見され、その中心がオリヴィだった。

クレメンス五世（在位一三〇五〜一三一四）は、一三一二年の教令において、「徴利は罪ではないという誤った説を頑固にとなえる者を、異端者として罰すべきであると決定する」と決定を行っている。このときの弾圧の対象として考えられていたのがオリヴィだったのである。この謎めいた思想家は誰だったのか。

3　オリヴィの経済思想

†謎の思想家オリヴィ

　オリヴィは、フランシスコ会に属する神学者であり、ヨアキム主義を奉じ、フランシスコ会の中でも急進派となるスピリトゥアル派の代表的思想家であり、没後熱狂的な崇拝を受けた。彼を崇拝する人びとが数多く、フランシスコが第二のキリストであり、オリヴィは第二のパウロと見なされたほどであった。オリヴィの思想は、弾圧され、公には読まれることが少なくなった。にもかかわらず、彼の思想は大事にフランシスコ会の中で守られていった。オリヴィは、哲学的には、主意主義、個体主義の立場であって、多くの点でドゥンス・スコトゥスやオッカムの先駆者と見なされている。

　最近の経済学史において、オリヴィへの着目は急速に高まっていて、近代的な経済思想を持っていたと見なされることも多い。かなり大胆に経済思想を変革したのみならず、フランシスコ会の中でも革新的な終末論を展開し、ローマ・カトリック教会批判を行い、哲学的にも重要な転回点となり、しかも厳格な清貧を説きながらも、利子肯定、商業の振興を図った彼の思想は、哲学史的にも経済学史的にも宗教史の上でも重要である。

彼は当時から異端者として糾弾され続けた。一二八三年、パリ大学関係者による調査委員会が設置され、委員会はオリヴィの著作から「危険」、「誤り」、「異端的」と判断される箇所を選び出して、二二箇条にまとめ、それに対抗意見を付した上で「七つの封印の書」として公表した。

オリヴィは対抗意見を読むことも許されぬまま同意することを求められ、弁明の機会も与えられなかった。やっと二年後に弁明の機会を与えられ「弁明」を著す。一二八五年のミラノ総会でも批判され、復権は一二八七年のモンペリエ総会まで待たなければならなかった。一二九八年に亡くなる。死後一二九九年にリヨン総会で焚書処分を受け、一三二六年にはヨハネス二二世（一二四九〜一三三四）によって『黙示録註解』が断罪された。

†「貧しき使用」の思想

少しさかのぼる。パリの派手さを身の毛もよだつほど嫌っていたオリヴィは南フランスに戻り、教育研究に没頭した。彼のフランシスコ会の精神を貫き通す思索は迫害され、全著作が没収された。急進的であるとして内部からも外部からも批判されたが、一二八七年にはフランシスコ会内部においては正統的と認められるようになった。晩年の一二九四年頃から、地元の商人の経済問題に携わり、『契約論』を著したが、これこそ、一二世紀の『資本論』と言われるほど、様々な面で画期的な著作であった。

オリヴィは、清貧をめぐる理解を異端視され、南フランスのセリニャンに退いていたが、同地の交易に関わる商人たちの取引をめぐる相談に携わる中で、営利活動を正当化する経済倫理を確立していった。

オリヴィは過激な清貧論者、絶対的無所有の提唱者と見なされてきたが、実際には大きく異なっている。彼は〈現在の必要〉と〈現在のための必要〉ということを峻別する。〈現在の必要〉は、現在時点で享受活用するために必要なのではなく、〈未来のために〉必要なのである、〈現在のための必要〉は、現在時点において享受活用し、消費してしまう使い方である。種蒔きのときに、種が必要なのは、収穫するときのために今必要なのである。使用と享受という枠組みで整理すれば、現在は享受されてはならず、未来のために使用されるべきである。現在明らかに必要なものが、現在のために必要ではなく、未来のために必要なものであれば、それを所有することは正当なことなのである。これが「貧しき使用」の意味なのである。現在における非存在と未来における存在との落差を保持する限りそれは「貧しき使用」なのである。

「貧しき使用」とは、所有するのではなく、現在において享受するのではなく、未来のために現在において必要止むを得ない部分を使用するのである。未来における享受は、死後における至福直観と同じで退けられるものではない。

「貧しき使用」においては事物は消費され、非存在になるのではなく、残存すると考えられている。だから、貧しき使用という枠組みでは、利子をとったとしても非存在を売買するということにはならない。

†オリヴィの功績

オリヴィの哲学は、反アリストテレス的で、実体論的枠組みを否定している。彼の経済思想の特徴を箇条書きに記せば以下のようになる。

①資本（capitale）の概念を創出したのはオリヴィである。元本はソルスなどと呼ばれていたが、それは基本的に同額を返済するもので、それ以上を要求すれば、徴利と見なされた。元本は増えるものではないからである。ところが、「資本」は投資して、利益を生み出すためのものであり、種子的な性格を備えていた。それまでの貨幣のとらえ方は、不妊・非生産的なものと捉えられていたが、オリヴィは、貨幣に利益を生み出すための増殖的な性質を認めたのである。

②利子肯定論を提唱したという点でも先駆的である。消費貸借は、ローマ法においては相互扶助的な側面を有するものであった。消費される事物の無利子の期限付き貸与であった。消費

貸借は、無利子であるということばかりでなく、貸与されるものは、使用され消費され消滅するものと考えられていた。あくまで「消費貸借」であって、貸与された事物が存在し続け、収穫物や利益を生み出してしまえば、それは消費貸借ではない。そして、お金を貸すことは、消費貸借であったので、利子を可能にするためには、消費貸借の概念を変えるか、お金を貸すことは消費貸借ではないとするか――これは現実的には組合や共同事業などといった仕方で用いられていた。しかしそれにはその用途場面が限定されている――、またはお金を貸して利子を取ることが消費貸借で相互利益になるという論理を考えだすということだった。

③共通善という論点を経済思想に持ち込んだこと。「共通善」という考え方。公正価格を論じる際の共通善という発想。共通善とは、共同体を構成する全員にとってよき事柄、そして共同体によってのみ維持し増進されうる利益を指す。オリヴィは次のように記している。「商品や仕事の価値が共通善を考慮に入れて決められるべきであるとすれば、この際何よりも大切なのは、共同の価格決定・考量であり、これは市民の共同体によって共同でなされなければならない」（オリヴィ『購入売買論』§26）。

共同の意思決定と全体の共通利益が重視されている。しかも価格については、事物に内在する価値ではなく、稀少性や遠隔地から運搬されたことが要因として含められている。

④市場を発見した点でも先駆的と評価されている。市場とは、余剰と希少性の間の落差に生

じるポテンシャルを発見し、それを具体的な事物の交易・交通のなかに流通させることによって、富が成立し、増加する。重要なのは、時間と空間の距離が大きくなると、そのポテンシャルも高くなるということだ。ヨーロッパが、一つの市場を形成すること、利益共同体(ソキエタス)を形成し、その圏域内での交易が富を拡大させるという発想と、オリヴィの経済思想は呼応していると思われる。

⑤オリヴィは、勤勉・労力の意義を重視し、商品の価格の源泉として勤勉を評価したものと解することができる。

⑥「新しい公正価格論」を提起した思想家として評価されてもいる。通常公正価格は、市場どこでも一致すべきものと考えられているが、オリヴィは、自由意思を重視し、売り手と買い手の間での自由な契約によっても公正価格から外れないと考えた。オリヴィは、事実上、価格と価値のズレを許容した。希少なものを高く売ることは許容される。

†改革者オリヴィ

このように、オリヴィは、経済思想において先駆的な論点を提出したとして高く評価されるようになってはいる。まだ評価は確定していないが、大きな流れの中心に位置することは確かである。

オリヴィの利子論の核心は、蓋然性であっても評価可能であるものは売買可能であり、売買は合法的であるということだ。したがって、遺失利益（消極的損害）や損害発生（積極的損害）の蓋然性が見込まれる場合、その損害賠償を現在の価格に課することは合法的であるということになる。オリヴィの利子肯定論は、未来の時間、蓋然性を実在的なものとして、売買や交換の項目として考える前提を持っていたことである。リスクに見合う対価を受けとるのは正当であるという議論を説得的に展開している。

徴利は不正なものと考えられていたが、利子は利益喪失や損害発生の場合の損害賠償と考えられ、これは認められていた。徴利と利子とは明確に区別されなければならない。貸したお金の代金として元金以上に受け取ることは徴利であり、これはそれ自体で不正なことと考えられていた。その論拠として、トマス・アクィナスは、存在しないものを売買する、同じものを二度売る、といった点を挙げている。オリヴィは、トマスの理論と反対の説を主張したのだ。

元金は元金と同額が返済されるべきであり、元金以上の返済は徴利であった。利子は、あくまで損害賠償として考えられていた。未来における蓋然性は未来は非存在であるという考えに反映している。オリヴィは一貫して、未来を実在的なものとして考える。それが利子論にも資本の考え方にも「貧しき使用」という考えにも見出される。

金利を決めるのは決して神ではない。そんな神はあり得ない、人間がもし経済活動に固有の意義を認めるのであれば、人間は自由でなければならない。人間は自由たるべき絶対的必然性を担っている。自由とは人間であることの必然的条件である。なぜそれが絶対的必然性なのか、その理由は、より多くの人間の生命の維持が人間にとっての課題だからである。経済とは人間の生命のためにある。

4　中世における経済と倫理

†中世の資本主義

売買という概念は近代的な概念であって、ローマ法においては使用貸借と消費貸借というように、貸借が基本であり、現物をそのまま返還するのが基本的な交換形式であった。食べ物などは、消費してしまい現物が失われるので、それと同品質の事物を返還するのが基本であり、それが叶わないために貨幣が用いられるという枠組みがあった。同一事物の交換、同品質の事物の返還が基本で、それができない場合に貨幣が使用された。貨幣使用の最大の問題は商品の価値が時期によって変動すること、したがって、商品の価値を計測する尺度が設定される必要がでてきたことである。貨幣使用の最大の問題は尺度の設定、商品の価値の評価であった。「中世に資本主義はあったのか?」という問いにおいて今盛んに論じられている最中である。フランスの歴史家ジャック・ル・ゴッフ(一九二四〜二〇一四)は中世には資本主義が存在せず、あったのはカリタス(神の愛)だと述べる。「救済の経済学」「聖霊の経済学」と言えるようなものを展開した。ル・ゴッフは清貧の思想は経済的性格を備えていなかったと考える。

オリヴィの経済思想の評価については、資本主義の起源を見出す歴史家と、それに反対する歴史家とに分かれ、決着はついていない。そもそも資本主義の定義はなにかという大問題がある。資本主義に関する著作が膨大にありながら、それを正面から検討しようとする蛮勇の論者はいないようだ。マルクスの『資本論』に遡る意義が顕現してくるのだが、そこに立ち入らなくても、営利活動の霊的世俗的側面の両面における正当化、資本の自己増殖、人間の目的論的意識的活動を越えた経済システム、実体主義から関数主義へ、価値の抽象化、数量性、未来の時間概念の組み込み、非存在の実在性、貨幣概念の変革、交通流通システムの激変、空間性の消失などなど、数え上げればきりがない。これらの諸契機は一三世紀にほとんどが胚胎していた。その意味で、資本主義の定義はともかくも、その原型は成立していて、その思想的裏付けにオリヴィが関わったということは確かだ。

問題は、オリヴィの清貧の思想が、資本主義の精神に合致し、それを押し進めようとするものだったのか、という点にある。オリヴィが、現代の資本主義が人間文明を支配している様を賛美するはずはない。真逆である。にもかかわらず、オリヴィの思想の根幹にある聖霊主義は、フィオーレのヨアキム（一一三五頃〜一二〇二）やフランチェスコに由来するものであり、経済活動が聖霊の普遍的貫流による富の配分を目指すものであったとすると、重要な点において重なっているということができる。つまり、富とは蓄積されるものではなく、「情報」と同様に、社会に貫流し流通しつづける限りにおいて富であるという点においてである。この意味では聖霊主義は隣人愛の普遍性を目指すものであり、もし資本主義がその性質を維持しているのであるとすれば、聖霊の経済学という点で、オリヴィは資本主義を先駆けているということもできる。もちろん、そのように経済学の歴史を書き換えられるのか、その挑戦は今後の人々に任されるべきことである。

†非存在をめぐるドラマ

中世においての商取引はバーター取引（現物取引）またはそれをモデルとしたものが基本であった。各地で貨幣が鋳造され、その土地で開かれる市においては現地の通貨しか通用しなかったから、両替商が発達することとなった。

しかし貨幣が取引の中心的媒体である時代ではなくなっていく。貨幣と商品という現在時点における実体主義的交換が範型的モデルとなるのではなく、現実性と蓋然性との間の交換がリアルに受けとめられ始めた時代でもあった。

未来という非存在、蓋然的存在が取引の対象となることは一二世紀までは少なかった。遠隔地間の取引において、貨幣・貴金属の携行は略奪される危険性が高く、財産と生命を危険に曝す行為に他ならなかった。銀行や会社が主要な都市に設置され、為替や手形で決済がなされることは、価値が物理的な事物にのみ宿るのではなく、存在しない事物にも内属することがやっと認識されるようになった。経済学に存在論から独立する道筋が現れたのである。

近世に入って非存在者は人間の正当な操作対象となったと言えるが、そのことは容易に成立したのではない。スアレスの『形而上学討論集』がやっとのことで、非存在者論である「理性の有について」の章を巻末に導入できたことは、イエズス会士スアレスが中世神学への訣別の意気込みを込めた徴と見ることもできる。

中世から近世への流れは、実体概念から関数概念へと整理できる。普遍論争の反映を見ることもできる。ここでは、存在しないもののリアリティこそ普遍論争の問題であったことが示されているとも言える。中世の経済学の問題は、たとえそれが後の経済学から見れば未熟なものであろうと、ギリシア哲学から現代にいたる哲学の大きな流れの中で、哲学や存在論の変化の機軸をも担っていたのである。

さらに詳しく知るための参考文献

大黒俊二『嘘と貪欲――西欧中世の商業・商人観』（名古屋大学出版会、二〇〇六年）……二〇世紀になって「発見」されたオリヴィの思想と、当時の経済思想の実相を解明した名著である。清貧のパラドックスを解明するところはスリリングである。

上田辰之助『トマス・アクィナス研究』（上田辰之助著作集2、みすず書房、一九八七年）……トマス・アクィナスのテキストを丁寧に読み分析する様子は現在でもそのまま通用する精緻さを備えている。

ジャック・ル・ゴッフ『煉獄の誕生』（渡辺香根夫・内田洋訳、法政大学出版局、一九八八年）……煉獄が一二世紀にいかに考え出されていったかを知るのも面白いが、高利貸しが苦しむ様子の描写は面白い。

バーリ・ゴードン『古代・中世経済学史』（村井明彦訳、晃洋書房、二〇一八年）……原著の刊行が一九七五年でオリヴィが発見される以前の著作で、オリヴィへの言及がない点は物足りないが、それ以外においては、古代中世の流れを概観できるきわめて貴重な本である。

第4章 近世スコラ哲学

アダム・タカハシ

1 アリストテレス主義と大学における哲学

†はじめに

一五世紀以降、西欧の人々の知的関心は、旧来の地理的境界を超え地球全体へと向かいはじめる。遠方への航海は、存在すら知られていなかった動植物の標本や医薬をもたらし、宗教改革は布教を目的とする知識人たちのネットワークが南北アメリカ大陸、アフリカ、そしてアジアへとひろがるきっかけとなった。また、新しく登場した印刷術によって知の成立や伝達のあり方そのものに大きな変化が訪れた。

だが、このような未曾有の出来事を前にして、人々は伝統的な学問をすぐに放棄したのではない。むしろ、彼らは古代以来の知的伝統を尊重しつつ、それらを改変することで、新しく目の前に現れたものごとの意味を解きあかそうと試みたのだ。

本章で論じる近世スコラ哲学——主に一五世紀と一六世紀とのあいだに西欧の大学を中心として展開した哲学——は、このような新旧の学知が交錯するところで成立した知的営みに他ならない。したがって、この時代の思想を正確にとらえるためには、前提となっていた哲学的伝統を理解し、そのうえで近世に固有の問題や理論とはいかなるものであったのかを検討する必要がある。

以下では、まず一三世紀から一七世紀まで一貫して持続していたアリストテレス主義の伝統と、その制度的基盤としての大学について説明する。次に、その長期的な伝統のなかで特権的な役割を果たしていた一二世紀スペインの哲学者アヴェロエス（一一二六～一一九八）の思想を紹介し、最後に一六世紀の哲学者たちを具体例としてとりあげることにしたい。このような順序で考察することで、古代・中世以来の哲学的伝統という〈地〉があってはじめて、近世スコラ哲学という特殊な〈図〉が成立したことが明らかになるだろう。

†多数のアリストテレス主義

まず一三世紀から一七世紀までの西欧における哲学について、大きく二つの特徴に注目しながら概観しよう。

特徴の一点目は「アリストテレス主義」の持続と多様性である。少なくとも一七世紀前半までの西欧で「哲学者」および「哲学」という名称は、現在のような単なる一般名詞ではなかった。それらはもっぱら古代ギリシアの哲学者アリストテレスと彼の著作にもとづく学問体系を意味していたのである。哲学にかかわるものたちは、アリストテレスの理論を土台として議論を行っていた。したがって、彼の著作集全体がラテン語訳され普及した一二世紀末から、その権威が衰える一七世紀までの哲学の伝統を、広い意味でのアリストテレス主義と見なすのが一般的である。

ただし、学問の枠組みが統一されていたことは、個々の哲学者の主張も同一であったことを意味しない。たしかにアリストテレスに由来するいくつかの基本概念は広く共有されていた。たとえば、その伝統につらなる者であれば、任意の物体を、その本質を定める「形相」と物質的基礎である「素材(質料)」との合成体と見るのが習わしだった。しかし、歴史家のチャールズ・シュミットが「多数のアリストテレス主義」と形容したように、実際に主張された理論には大きな相違や対立が存在したのである。

特に近世の場合、そのような立場の違いが生まれた要因としては、以下の四点があげられる。

①主に一二世紀までギリシア語・アラビア語によって書かれた、アリストテレスの著作の

「註解書」――「註解書」とは、たとえばアリストテレスの『魂について』や『形而上学』といった著作ごとに、この哲学者が何を意図しているのかを説明する書物群を指す。そしてそのような書物を執筆した人物たちを「註解者」と呼ぶ。

②アルベルトゥス・マグヌス、トマス・アクィナス、ドゥンス・スコトゥスなど一三・四世紀の代表的なスコラ学者たちによって書かれた大部な神学的著作群。

③近世に新しく翻訳された古代の文献、特にプラトンや古代ギリシア・ローマの医学者ヒポクラテスとガレノスの著作。

④特に宗教改革期以降のカトリックとプロテスタントとの間、あるいは各々の内部での教義上の対立。

ここでは細部に踏み込むことはできないが、最後の宗教的対立が見解の相違をもたらしたことは容易に推測されるだろう。それに対して、前三者の著作群が要因となったのは、それらの受容が、アリストテレスの著作を解釈するときの力点を変化させ、またそれとは異なる思想の系譜に人々が注目する機会を与えたからである。

この哲学的伝統内での立場の相違を示す例として、一六世紀における原子論の隆盛があげられる。一般的に、アリストテレスは世界が不可分の原子（アトム）からなると説く原子論を批判した人物であると言われる。しかし、たとえばドイツ・ヴィッテンベルクの哲学者ダニエル・ゼンネルト（一五七二〜一六三七）は、一七世紀以降一般化する原子論的な世界観の正当化を、アリストテレスの『気象論』(第四巻)を用いて行っていたのだ。

次の点に移るまえに、プラトンおよびプラトン主義の影響について補足する。プラトンや古代末期の新プラトン主義者プロティノスの著作はマルシリオ・フィチーノ（一四三三〜一四九九）などによるラテン語訳を通して一五世紀以降徐々に普及した。しかし、世界の包括的な説明体系としてのアリストテレス哲学の優位は、少なくとも後述するような大学教育のなかでは一七世紀まで揺らがなかったのである。

†大学における学問制度としての哲学

特徴の二点目は「大学」における哲学の制度化である。古代ギリシア・ローマの哲学は、本シリーズの古代篇でも幾度か強調されていたように、個人の倫理的な生のあり方を問う「生の技法」という側面が強かった。この伝統はキリスト教の修道制と結びついて西欧の精神風土を形づくった。

しかし、とりわけ一三世紀以後、哲学はその性格を大きく変えることになった。というのも、知識を継続的、かつ集約的に生産する社会制度があらわれ、哲学はその制度の一部になったからである。その制度とは、一二世紀以降、西欧の各所に設立された大学に他ならない。前述したアリストテレス主義の哲学は、大学制度の中に組み込まれることで、一定のカリキュラムにもとづいて研究、あるいは教育される学問体系へと変化したのである。

ただし、近世の大学と哲学とのつながりを考えるとき、国や地域によって各大学の特徴が異なっていたことは注意を要する。パリやオックスフォード、スペインのサラマンカなどは、創設当初から後世までカトリックとの強い結びつきを保持した。それらと対照的に、北イタリアのパドヴァやボローニャでは神学部が不在であり、そのことはキリスト教神学に同化されないアリストテレス主義の展開をうながした。また、宗教改革期を境にして現在のドイツや低地地方では新しい動きが生じることになる。イエナやライデンではプロテスタントの大学が創設され、テュービンゲンとヴィッテンベルクはカトリックから離反したのである。

このように近世の大学の布置を考慮することで得られる教訓が一つある。それはある特定の大学もしくはキリスト教の特定の宗派に属していた人物を取りあげたとしても、そこに認められる思想を時代全体へと安易に一般化することは許されないということである。近世哲学を考えるとき、私たちは学問の長期的な持続の層と時代ごとの地域・大学の違いがもたらす思想的な偏差との双方に細心の注意をはらう必要があるのだ。

2　哲学の母胎、あるいは「註解者」アヴェロエスとその思想

†「註解者」の役割とは何か

　大学を制度的基盤とした多数のアリストテレス主義が、近世スコラ哲学を見るときのもっとも重要な視座であることを前節で確認した。本節では、アリストテレス主義の内実をより正確にとらえるために、大きな補助線をもう一本引くことにする。それは一二世紀スペインで活躍したイスラム教徒の哲学者アヴェロエス（イブン・ルシュド）の思想である。

「哲学者」という言葉が単なる一般名詞ではなかったように、西欧世界で端的に「註解者」といえば、それは他の誰でもなくアヴェロエスを指した。彼はイスラム教徒であったが、アリストテレスと向きあう時には神学的教義を考慮外におき、この古代ギリシアの哲学者のテクストをあくまで内在的に解釈しようとした。彼の註解書がラテン語訳された一三世紀以降、彼はアリストテレスの著作に対する最も権威ある註解者となった。その影響力を考慮すると、近世における「多数のアリストテレス主義」は、アヴェロエスの示した解釈を母胎として成立したといっても過言ではないのである。

ここからは、近世の哲学者の知的前提を確認するために、アヴェロエスが示した特徴的な解釈のうちから、多くの論争を巻き起こした〈知性論〉と、一七世紀までの哲学・神学双方にとって中心的課題であった〈神的摂理〉という二つの論点についてさらなる解説を加えることにする。

†「知性単一説」の内実

一点目は、人間の魂、特にその「知性（悟性）」にかんする見解である。前提としてまずアリストテレスの魂論を簡単に確認する。魂とは現代の精神や心と異なり、広く生命の原理を意味していた。生きているものであれば、水準の違いはあれどなんらかの魂を有していると考えられていたのである。そのうえでアリストテレスは『魂について』のなかで人間の魂を三層へと区分した。その三層のうち「植物的魂」と「感覚的魂」と呼ばれる低位の二つは人間が動植物と共有しているものであり、具体的には生命維持の能力と感覚能力のことを指す。それらに対して、人間のみが有すると考えられたのが「理性的魂」、すなわち思考や判断の能力あるいは場である知性であった。

この知性について論じる際に、アヴェロエスがまず強調するのは、知性と身体・身体的能力との乖離である。これはアリストテレスが「感覚する能力は身体なしには存在しないが、知性は離存する」（『魂について』第三巻第四章）と述べたことを踏まえている。アヴェロエスは、この「知性は離存する」という言葉を「知性は身体でも身体的能力でもない」と解釈した（『「魂について」大註解』第三巻第四章）。つまり、アリストテレスが区分した三層の魂のうち、低位の二つにかんしては身体的能力であるが、理性的魂あるいは知性についてはそうではないと彼は見なしたのである。そして、知性が非身体的であることは、それが身体とともには消滅しない、つまり知性は不死（不変）であることも同時に意味していた。

この知性と身体とが離れて存在するという考えと、もう一つの別のアリストテレスの基本理論とが合わさると、「知性が人類において数的に一つである」という考え、すなわち一般にアヴェロエスの「知性単一説」と呼ばれるものが即座に導かれることになる。そのもう一つの理論とは、本質を同じくするものが「これ」や「あれ」と指差しできる個体として存在する原因は、「素材（質料）」とよばれる物質的基礎に求められるという考えである（『形而上学』第七巻第八章）。たとえば、同じデザインの机が「この机」や「あの机」という個体になるのは、素材である木や金属を原因とすると考えれば理解されるだろう。

このような個体性の原則を考慮に入れると、知性が身体から切り離されている場合、個体となるための条件である素材を欠いていることになる。結果として、各人に応じた個体とはなりえないので、知性は人類において一つのものとして存在する、すなわち数的に単一であると解釈されたのである。

いま述べたことから推測されるように、人類にとって知性が一つであるという考えはアヴェロエスの議論の〈到達点〉ではなかった。あくまでアリストテレスの知性論の二・三の原則を要約したものに過ぎなかったのだ。むしろアヴェロエス自身の議論は、その考えを〈出発点〉として本格的に始まるのである。

彼が主に問うたのは、思考や判断の場である知性が人類にとって共有されているならば、個々人の認識の相違はどのようにして生まれるのかという問題であった。アヴェロエスによれば、私たちの認識が個人で異なるのは、知性の多数性ゆえにではなく、私たちの認識の基礎(「基体」(スブイェクトゥム))となっている感覚器官由来の「表象像(心的イメージ)」が個々人において異なるからだという(『「魂について」大註解』第三巻第五章)。これはアリストテレスの「魂は表象像を伴わずには決して知性認識を行わない」(『魂について』第三巻第七章)という主張を前提としている。

アヴェロエスは、このような解釈をとることで、アリストテレスが示した原則に従いつつ、個々人を超えて普遍的に共有される知識が個別の感覚的イメージからどのように立ち現れるのかを神学的原理に依拠することなく説明しようとしたのである。

†天体を起点とする自然の摂理

アヴェロエスの思想を特徴づける第二の点は「摂理」の問題である。摂理とは、特に神などが前もってこの世界に起きることを予見し、かつこの世界を統治しているとする考えを指す。

あまり知られていないが、アリストテレスの哲学には神的摂理の理論が欠如しているという批判が古代から歴史的に繰りかえされた。その批判の理由は、彼が『形而上学』（ラムダ巻）で論じた「神」の観念にある。この著作のなかでアリストテレスは、「神」を宇宙の始原に位置する「不動の動者」と定義した。それは文字通り不動であるがゆえに、自己以外のいかなるものへも配慮を行わない、すなわちこの世界に対する摂理を有さないと受けとられたのである。この「哲学者の神」にたいする批判を展開したのは、古代の教父や中世の神学者だけではない。近世においても、フランチェスコ・パトリーツィ（一五二九〜一五九七）はアレクサンドリアのクレメンスやオリゲネスの言葉をひきながら同様の批判を行った。

とはいえ、アリストテレス主義者たちが摂理の問題を無視していたわけでは全くない。この世界が物質の偶然的な離合集散の結果ではなく、そこに何らかの法則や秩序が見出されると信じるかぎりで摂理は理論的に必須の要素であったからだ。

ここで再び鍵となるのがアヴェロエスの立場である。彼は『形而上学』への註解で、自然世界に摂理があることは「天体の運動と、この世に生じるものそれぞれの存在やその存続との対応が考察されれば明らかである」と述べた(『「形而上学」提要』第四章)。つまり、この世界の秩序を形成し、維持している直接的な原因であると彼が解釈したのは「天体」(惑星と恒星、および天球の総称)であったのだ。そして、そのような働きを果たすがゆえに、天体は世界の秩序を考慮するための知性をそなえた叡智的存在であると理解された。

このようなアヴェロエスの摂理観を支えていたのはアリストテレスの『天界について』『生成と消滅について』『気象論』などの自然哲学的著作であった。このアラビアの「註解者」の影響によって中世から近世にかけてのアリストテレス主義の伝統では、天体とその自然世界への作用の議論が大きな比重を占めることになった。このことを哲学史家のガド・フロイデンタルは、アリストテレス哲学の「占星術化」と呼んだ。

要約すると、アヴェロエスが提示したアリストテレス哲学の体系では、人間の知性は身体から区別され、各個人の認識の相違は表象像の違いによって説明された。そして知性は人間のみならず天体にもそなわっており、その天体が自らの運動を通してこの世界の秩序をコントロールしていると考えられていた。このような世界像こそが、近世の哲学者たちが自身の立場を構築するときに目の前にしていたアリストテレス哲学の姿であったのだ。

3　三人の近世哲学者たち――ポンポナッツィ、スカリゲル、メランヒトン

ここからは、本題である一六世紀の哲学者の具体的検討に入る。本章冒頭で述べたように、一五・一六世紀の西欧は激動の時代であった。大航海時代、宗教改革、印刷術の普及に加えて、一般にルネサンスと称される文芸復興は、それ以前の時代には名前しか知られていなかった古代の文献を西欧にもたらした。哲学の基礎は依然としてアリストテレスの哲学であったとしても、古代の多数の著作がよみがえると、それに応じて思想の多様性も増すことになった。ここで取り上げる具体例も、近世スコラ哲学を構成した様々な要素や流れのうちの――同時代に論争を呼び、後世の哲学に影響を与えたものではあるが――いくつかの例でしかないことをまえもって注意する必要がある。

近世スコラ哲学という場合、本邦ではスペインやポルトガルのイエズス会の伝統が主として論じられてきた。具体的には、スペインのルイス・デ・モリナ、フランシスコ・スアレス、そしてポルトガルの「コインブラ学派」などである。だが、そのようにカトリックとイエズス会を中心としてこの時代の哲学を語ることは、大学にかんする説明の箇所でも触れたように、必ずしもこの時代の哲学にたいする公平な見方とは言えない。

イエズス会の伝統については本巻第5・6章の議論に譲るとして、ここでは別の系譜の哲学者たちに光を当てることにしたい。具体的には、神学とは相容れない哲学的論証を重視したパドヴァのポンポナッツィ、北イタリアで学んだのちフランスに滞在し、アリストテレス哲学をキリスト教神学と調和するものとして理論化したスカリゲル、そして哲学的教説をルター派の神学的教義の正統化のために用いたメランヒトンの三人である。この具体的な事例を通して、彼らがほぼ同類の哲学的伝統に依拠しながら、結果的には大きく異なる立場に与していたことが明らかとなるはずだ。

†ピエトロ・ポンポナッツィ

最初に取りあげるのはイタリアのパドヴァ大学で学位を取得したあと、その地で教授職を務めたポンポナッツィ（一四六二〜一五二五）である。パドヴァはヴェサリウスやガリレオも教授職を務めたように北イタリアにおける学問の中心地であった。先にも述べたように、そこではキリスト教神学と時に対立するアリストテレス主義の伝統が勢力をもっていた。ここではポンポナッツィの主著『魂の不死性について』（一五一六年）をもとに、彼の思想の骨格を紹介したい。

この『魂の不死性について』（以降、『不死論』）にかんしてよく言及されるのは、その出版による批判的反響である。この著作でポンポナッツィは魂が不死であることを哲学的に論証することは不可能であり、それは「信仰に固有なものによって証明されなければならない」と主張した（『不死論』第一五章）。ここで「信仰に固有なもの」と言われているのは、具体的には「使徒信条」である。キリスト教の正統教義を規定する使徒信条では、最後の審判における「復活」が唱えられている。死後の復活のためには、個々人の肉体が消滅したあとも、少なくともその魂は不死なるものとして存続している必要がある。

ポンポナッツィは、このキリスト教の最重要教義を否定してはいないものの、明らかに軽視していると受けとられた。『不死論』の議論の多くが、この教義を前提とせずに行われていたからである。さらに一五一三年に第五回ラテラノ公会議にて示された魂の不死が哲学によって証明されなければならないという命令にも反していたため、結果的に多くの批判を呼ぶことになった。

ただし、この著作の論争的性格については、本邦でもすでに紹介がなされてきた――根占献一編著『イタリア・ルネサンスの霊魂論（新装版）』（三元社、二〇一三年）。ここでは彼が魂と知性とをどのようにとらえたのか、およびそれと神的摂理の論点とのかかわりをより詳しく見ることにする。

ポンポナッツィがこの著作で人間の魂を論じるとき第一に批判の矛先を向けるのは、前段で見たアヴェロエスの立場である。ただし、彼は知性の単一性についてはさほど紙幅をさかない。むしろ議論の焦点となるのは知性が身体から離れて存在するのか否かという点であった。アヴェロエスは知性が「身体でも身体的能力でもない」という原則から知性の単一性を導いたので、知性の身体からの乖離を否定すれば自ずからその単一性も否定されるからである。

彼は知性が身体から離れて存在することを一貫して否定する。その際に彼が根拠とするのは、これもすでに言及したアリストテレスの「魂は表象像を伴わずには決して知性認識を行わない」という主張であった。この主張はアヴェロエスにとっても基本原則の一つであった。しかし、ポンポナッツィはこのことから「註解者」とは真逆の結論を導く。彼は人間の知性も身体に依存する「自然的かつ器官的身体のはたらき」であると主張したのである（同第四章）。後段で彼はより明確に「知性的魂は物質的である」と結論づける（同第八章）。

ここで誤解すべきではないのは、魂あるいは知性が物質的であるという主張が教会にとって脅威とみなされた理由とはいかなるものであったのかという点だ。それは、そのような説が人間の倫理的責任と世界における神的摂理双方の否定につながるおそれがあったからである。もし魂が身体とともに消滅するのであれば、神からの救済や罰を引き受ける主体が不在となり、結果としてこの世の悪を神が見逃していることになると批判者は考えた。したがって『不死論』の後半は、このような予想される批判に対する応答に当てられている。

その応答でのポンポナッツィの議論の要点は、魂の不死性が証明されないとしても、人間は倫理的行為を自然に行うこと、そしてこの世界には神的摂理がはたらいていることを哲学的に示すことにあった。まず倫理的行為については、魂の不死が否定されると公共善のために命をかけるものが存在しなくなるのではないかといった問題が提起される。それに対して彼はアリストテレスの『動物誌』（第九巻第四〇章）における蜂の例をひいて、動物にはその共同体を守る自然本能が備わっていると主張する（『不死論』第一四章）。

実際、ポンポナッツィの議論にこの時代固有の新しさがうかがえるとしたら、その一つはこのようなアリストテレスの動物論やプリニウスの『博物誌』の活用にある。医学史家のナンシー・シライシが明らかにしたように、これらの「ヒストリア」（事例・歴史）にかんする文献は、中世スコラ学の論理的に体系化された議論に代えて、個々の歴史的・経験的事例をもとに自然現象について考察する視点を近世の知識人に与えた。大航海時代によって西欧の外から到来した文物は、このような過去の博物誌を否定するのではなく、むしろ補完するものとして受容されたのである。

では、魂が可死的であれば神的摂理が否定されるという疑念にたいしてはどうか。ポンポナッツィは、魂の不死の問題とかかわりなく、この世界には善なる秩序が見出されると主張した。注視すべきは、彼がどのような観点から世界の秩序の問題を考えたかである。そこで彼が言及する根拠は、天体が地上にあたえる作用であった。彼は、世界が天体の知性によって秩序づけられており、それはアリストテレスも『気象論』で述べたことだという（同第一四章）。さらに「アレクサンドロスは神と〔天界の〕諸知性が月下の事物にたいして摂理を及ぼす」と論じたと彼はつづける。ここでアレクサンドロスと呼ばれているのは、古代において最も重要なアリストテレス註解者とみなされていたアフロディシアスのアレクサンドロス（紀元後二〇〇年頃活躍）である。

しかし、前節で述べた通り、このように天体とその知性を神的摂理の実際的な主体とみなす考えは、アヴェロエスが西欧に広めた教説であった。ポンポナッツィは、彼が批判対象としていたアヴェロエスではなく、アレクサンドロスの名を意図的に挙げることによって、自身の主張がアリストテレスの自然哲学にもとづいた正統な立場であることを示そうとしているのである。

†ユリウス・カエサル・スカリゲル

次に、パドヴァで教育を受けたあと南仏で医師として活躍したスカリゲル（一四八四〜一五五八）を取りあげる。彼は詩論やエラスムスへの批判書でも知られるが、その名を哲学史上重要なものとしているのは、亡くなる直前の一五五七年に出版された『顕教的演習』という著作とその影響である。

この『顕教的演習』（以降、『演習』）は、一六六〇年代まで一〇回以上版を重ね自然哲学・形而上学の教科書として参照されつづけた。若きケプラーはこの著作に影響をうけて彼自身の天文物理の研究をはじめ、またライプニッツもおそらくこの著作に親しんでいただろうと近年の研究は示している。以下では、坂本邦暢とイアン・マクリーンの研究に依拠しつつ、『演習』の基本的な思想を紹介する。

まず人間の魂と知性にかんするスカリゲルの見解を見ることにしよう。彼はこの著作のなかでイタリアの自然哲学者・数学者ジロラモ・カルダーノ（一五〇一〜一五七六）を論敵としている。そのカルダーノは少なくとも本人の意図としては、魂、特に知性の不死性を哲学的に証明しようとしていた。だが、スカリゲルの目にはカルダーノが多くの箇所で魂が物質的であると論じ、そして単一で不変の知性というアヴェロエスの説を繰りかえしているように見えた。彼はこの自然哲学者にたいして「あなたはアヴェロエス……の狂気にならい魂を可死的なものにした。他方で知性は一つであり、第一のものであり、すべてを満たして、あらゆる個物に入りこんでいる」と考えたと批判する（『演習』三〇七番）。

右の引用部での「あなた」はカルダーノを指すが、実際ここで語られている内容はポンポナッツィがアヴェロエスの立場としてまとめた記述に正確に対応している（『不死論』第三章）。前段でも見たように、人間が動植物と共有する低位の魂については身体的能力であり、それゆえに身体とともに消滅すると考えられていた。そしてアヴェロエスは、それらと区別された理性的魂すなわち知性が、身体から離れているだけではなく数的に単一、かつ不死であると解釈していた。スカリゲルはカルダーノもこの説を踏襲していると批判したのである。

スカリゲルは、自身の立場として、知性だけでなく個人の魂全体が物質的なものではない、より正確には世界を物質的に構成する「四元素」（火・空気・水・土）とは異なるものだと証明しようとする。この世界に存在するものがこれらの元素から構成されているならば、すべてのものが元をたどれば四元素から成りたっていると考えることもできる。だが、スカリゲルはこのような自然主義的な立場を一貫して批判した。

特筆すべきことは、彼が人間の魂のみならず、この世界に存在する事物一般も、それらを形成する本質的原理、すなわちアリストテレスの言葉を用いれば事物の「形相」が、四元素やその性質には還元されないと主張したことだ。彼が「あらゆる完全な混合物の形相は、それがたとえ魂でないにせよ、四元素とは全く異なる第五精髄である」と述べたのはその意味である（『演習』三〇七番）。このように諸事物の形相が物質には還元されない特異な性格を有していると主張したことから、スカリゲルは「形相の最大の庇護者」と後に呼ばれることになった。

では、事物の本質を定める形相が自然の元素に由来しないとすると、それらはどのようにしてこの世界へともたらされるというのか。ここでまず重要になるのが神の摂理の理論である。だが、スカリゲルの戦略はキリスト教神学の教義に訴えることではなかった。彼はアリストテレスのテクストを解釈することで、神による世界の創造と、その秩序の維持とを哲学的に論証しようとするのだ。

とはいえ、すでに言及したように『形而上学』における「不動の動者」としての神は、自然世界への関わりをもたないものであった。代わりにスカリゲルが依拠したのは、アヴェロエスと同じく、アリストテレスが『天界について』と『生成と消滅について』で述べた議論であった（『演習』第七二・七七番）。「神と自然は何ものも無駄には作らない」（『天界について』第一巻第四章）、また「神は……［自然世界の事物の］生成を間断ないものとすることによって万有を完全なものとした」（『生成と消滅について』第二巻第一〇章）といった幾つかの文が鍵となる。神から自然世界への作用について、スカリゲルは次のように述べる。

> 神は［この世界の事物を］自ら動かすのではなく、永続的な動者を与え、そして時間的な「動者」を与えている。前者は［天界の］諸知性であり、後者は私たちの魂である。（『演習』第七番）

彼によれば、アリストテレスのいう神も天界の知性を介してこの世界に作用を及ぼすという。そして、その天界の知性と類比的なものとして地上に存在するのが私たちの魂なのである。だが、問いはまだ解決していない。神が天界の知性をとおしてこの自然世界にかかわっているとして、諸事物の形相は具体的にどのようにこの世界へ到来するというのか。ここで注意を促したいのは、近世哲学における「動物発生」の議論の重要性である。特に、生物が無生物から生じる「自然発生」の現象――たとえば、腐敗したものから蛆虫がわくこと――は、この世界の創造・生成の秘密を解明する糸口を与えるものとして一六世紀の知識人によって好んで論じられた。

結論だけを述べるならば、スカリゲル自身は、人間の魂や動植物の形相は神に起源を有し、彼によって創造されるという立場を堅持した。だが、その議論の過程で、自然の事物の生成の際に、天界に由来する「形成力」(ウィルトゥス・フォルマティヴァ)と呼ばれる力が関与するという説を彼は取りあげた(『演習』第六番)。この説では、天界と自然世界とを形成力がつなぎ、その力が実際の生成の局面ではたらくことによって諸事物の形相が生起するというのだ。

この形成力という言葉は、古代ローマの医学者ガレノス(紀元後二世紀に活躍)の著作『自然の諸機能について』や『精液について』に由来し、一六世紀の医学者・自然哲学者たちによって広く用いられた概念である。したがって、この概念そのものはスカリゲルが考案したもののではなかったし、彼自身の立場として言及されたものでもなかった。だが『演習』の読者、もしくはそれに影響を受けた人々は、この力の概念をスカリゲル自身のものとしてしばしば言及することになった。

そのような影響を受けた人物の一人がライプニッツであった。彼が「生命の原理と形成的自然についての考察」という論考で、「形成的自然」すなわち「形成力」の理論を展開した人物としてスカリゲルの名前を挙げている理由は、以上のような知的背景があったのである。

†フィリップ・メランヒトン

ここまで見たポンポナッツィとスカリゲルは、前者がアリストテレス哲学の内在的説明を重視したのにたいして、後者はその哲学をキリスト教神学の教義に沿うように調律を試みた。最後に取りあげるメランヒトン(一四九七〜一五六〇)は、ルター派の教義の正当化のために哲学的伝統を用いた人物である。彼はマルティン・ルターの年下の盟友であり、かつ改革の右腕として活躍した哲学者・神学者であった。

ルター自身は中世の代表的な神学者たち——とくにトマス・アクィナス——と、彼らが重用したアリストテレスとを批判した。したがって彼の影響圏において、この古代ギリシアの哲学者の教説が無用なものとして退けられる可能性も大いにあった。しかし、実際にはその哲学的伝統は世界を説明するための体系として利用されつづけた。その歴史的展開を考えるうえで注目されるのがメランヒトンの寄与なのである。

メランヒトンはハイデルベルクやテュービンゲンで学んだあと、ルターがいたヴィッテンベルク大学にギリシア語の教授として着任した。彼は神学的なテクストも多く残しているが、ここでは『魂についての註解』（一五四〇年）と『自然学入門』（一五四九年）を取りあげる。この二つの著作で、彼が過去の哲学を用いてどのように神学的教義を正当化したのかを、主にサチコ・クスカワの研究に依拠して説明しよう。

まず、『魂についての註解』（以降、『註解』）では、アリストテレスの魂論の枠組みと比較した場合、主題に大きな違いが見られる。すでに見たように、アリストテレスにとっての魂とは生命の原理であり、人間のみならず他の動植物も水準の違いはあれど共有しているものであった。それに対して、メランヒトンは議論を人間の問題に限定した。彼は魂論の焦点を、動植物に広く共有されている生命の原理から、人間の本性の問題へと移したのである。

こうして人間の本性を論じるとき、メランヒトンは単に人間の理性的魂のみならず、身体の構造や組成についても詳細な議論を行った。その際に彼は医学者ガレノスの生理学的・解剖学的書物を頻繁に参照した。メランヒトンにとって、ガレノスは医学だけではなく自然哲学全般についての権威であったのだ。一五三八年の文章の中で彼は「自然哲学と私たちが呼ぶ哲学の分野にかんして、ガレノス以上に実り豊かな著者はいない」と述べている。

なぜ彼はガレノスの著作にもとづいて、身体の生理学的・解剖学的考察を行ったのだろうか。彼は近代的な医学者としてその主題に接近したのではない。彼の動機はもっぱら神学的であった。つまり、メランヒトンにとって身体の精密な構造やその内部での生理的現象こそが、創造主である神の卓越した業の徴、言い換えれば神の摂理の証であったのである。彼は身体を仔細に分析することで「自然が偶然によって生じたのではなく、［自然現象の］すべての目的を驚くべき意図で見通している何らかの建築的な精神が存在する」ことが理解されると述べる（『註解』一五四八年版、四六枚目表）。もちろん、ここでの「建築的な精神」とはキリスト教の神に他ならない。「建築家としての神」という表現はメランヒトンの著作においてしばしば確認される。

この『註解』末尾の章で、メランヒトンは魂の不死を取りあげている。ただし、彼はポンポナッツィのように哲学的に論証不可能というのでも、スカリゲルのように哲学的に擁護するのでもなかった。魂の不死性という主題は、メランヒトンにとって哲学的な〈問題〉ではそもそもなかった。むしろ、それは彼の議論の前提をなす〈公理〉のようなものであり、そのことはキリスト教の信仰によってのみ明らかにされるものであったのだ。

自然現象からキリスト教的な神の摂理を解き明かすという立場は、メランヒトンがガレノス的医学のみならず、それとは別の宇宙論や天文学に接近する理由にもなった。というのも、天文的事象について知ることは、神がこの世界を創造し統治していることを学ぶ最も重要な機会と見なされたからである。このような論点を取りあげるとき、しばしば彼にとっての占星術の伝統の重要性が指摘されてきた。たしかに、メランヒトンは古代ローマの天文学者プトレマイオス（紀元二世紀に活躍）の占星術的著作『テトラビブロス』を自ら講じたことでも知られている。

だが、ここまで幾度か見たように、アヴェロエスを通して提示されたアリストテレス哲学では、天界から自然世界への作用が神的摂理の枠組みで理解されていた。実際、メランヒトンは『自然学入門』の末尾で、この観点からアリストテレスの自然哲学を取りあげている。

アリストテレスの『生成と消滅について』の最後の文章は最も注目すべきものである。「［自然世界における］生成・消滅が永続的である原因は、黄道帯における太陽と諸惑星の運動である。」……ところで、この自然の驚異的な秩序を考察する際に、……より先行しかつ叡智的な他の原因、すなわち創造主である神が存在すると推論しなければならない。この神の熟慮によって［自然世界の］全体の秩序は確立され、統治され、かつ維持されているのである。（『自然学入門』第三巻）

天体の作用を神的摂理の論点とともにとらえる点で、メランヒトンはポンポナッツィやスカリゲルと確実に歩調を合わせている。しかし、彼らと議論の意図と方向性は明確に異なっていた。メランヒトンはアリストテレス主義の自然哲学を、あくまでキリスト教の神の摂理あるいは統治を正当化するために用いたのである。

†おわりに

ここまでアリストテレス主義の長期的な持続を背景に、一六世紀の三人の哲学者たちを取りあげることで、彼らの思想に見られる共通性と各々の独自性とを見てきた。近世における時代の変化は、哲学者たちが考慮すべき文献や物事の量を飛躍的に増大させた。したがってこの時代の哲学を限られた紙幅のなかで紹介するとき、どうしても彼らの思想に認められる折衷的な要素や傾向を強調することになりがちである。

本章では、あれもこれもと関連する事柄を列挙するのではなく、アリストテレス主義とアヴェロエスの影響という当時共有されていた大きな理論的土台をまず確認し、その土台のうえに近世の哲学者たちが各々の思索をどのように展開したのかを分析した。

ここで検討された一六世紀の哲学者たちは、一三世紀以来の伝統を深く継承していた。魂や知性にかんする理論は、教会の教義にも抵触したため近世においても争点の一つであった。だが、彼らの論述を見るならば、そこで用いられている言葉の多くは先行する哲学者たちの議論の反復でしかなかった。また、各人の議論の力点や方向性は異なっていたが、魂あるいは自然現象を神的摂理とのつながりで論じるとき、彼らはアヴェロエスの解釈にならって天体の地上世界への作用の問題に一様に言及していた。

では、そのような哲学的伝統の継承の側面に対して、一六世紀の哲学の固有性とはどのようなものであったのだろうか。本章で取り上げた三人の哲学者に見られた特徴は、一六世紀以降新しく翻訳された医学書や博物学書に依拠しながら、自然の個別的かつ経験的な事例を注視する姿勢であった。歴史家のヒロ・ヒライが「医学的人文主義」と呼んだものである。ポンポナッツィは人間の自然的な倫理をアリストテレスの『動物誌』をもとに語った。スカリゲルとメランヒトンは、ガレノスの医学的知見に言及しながら、自然世界の秩序の秘密を解きあかそうとした。このような彼らの知的傾向は、自然の〈驚異〉的な個物を世界中から蒐集し陳列しようとした、同時代の知識人と権力者双方の熱狂とも重なっている。

近世スコラ哲学がアヴェロエスのアリストテレス理解を一つの母胎としていたように、近年の研究は、一七世紀以降の哲学者たちが一六世紀のアリストテレス主義者の著作に深く依存していたことを明らかにしてきた。ただし、ここではその成果を詳しく紹介する余裕はない。代わりに、まだ解かれていない問いに注意を促すことで本章を閉じることにしよう。

ライプニッツは「唯一の普遍的精神の説について」という論考をアヴェロエスの知性単一説に触れることからはじめている。だが、実際の論敵として彼の目の前にいたのは、一六世紀の哲学者たちが執拗に論駁を試みたアヴェロエスその人ではなく、「彼も唯一の普遍的精神の説からさほど離れていない」と形容されるスピノザと「それとは知らずにこの説を打ち立てている」と称されるデカルト主義者たちであった。

興味深いのは、ライプニッツがアヴェロエス、スピノザ、デカルト主義者の相違のみならず、彼らの思想に見られるある種の共通性にも着目していることである。そのことはスピノザやデカルト主義者たちがアヴェロエスの徒であったことを意味しない。とするならば、彼らに認められるある種の共通性とはいったいどのようなものであったのだろうか。そして、批判の矛先が変化したときに、その背後でいかなる論点が本質的に争われていたのだろうか。これらの問題を解くことは、一六世紀までのスコラ哲学から近代哲学への転回を考えるうえで重要な視点を提供してくれるように筆者には思われる。だが、この点についての考察は別の機会に試みることにしよう。

さらに詳しく知るための参考文献

チャールズ・B・シュミット／ブライアン・P・コーペンヘイヴァー『ルネサンス哲学』（榎本武文訳、平凡社、二〇〇三年）……近世スコラ哲学の理解を試みるとき、日本語で読める書物としては、この著作をまず繰り返し読むことをお勧めしたい。

ヒロ・ヒライ、小澤実編著『知のミクロコスモス』（中央公論新社、二〇一四年）……中世から近世にかけての「インテレクチュアル・ヒストリー」にかんするこの意欲的な論集には、本稿を執筆するうえでも参照したヒライや坂本などによる水準の高い論考が収められている。

アン・ブレア『情報爆発——初期近代ヨーロッパの情報管理術』（住本規子他訳、中央公論新社、二〇一八年）……近世における哲学・科学の成立を、「ノート作成」などの具体的実践に着目して論じた画期的著作。

池上俊一監修『原典 ルネサンス自然学（上・下）』（名古屋大学出版会、二〇一七年）……本章で一七世紀までの「哲学」とはアリストテレスに依拠した学問体系であると述べた。そのなかで現在の学問区分で言えば物理学・化学・生物学・天文学等にかかわる自然哲学の領域は近世の哲学にとっても大きな比重を占めていた。この書物はそのような自然哲学の多様なあり方を知るための貴重な資料集である。

第5章 イエズス会とキリシタン

新居洋子

1 キリシタン時代におけるフィロソフィアの翻訳

†東アジアに伝わった「フィロソフィア」

すでに本シリーズでも何度か繰り返されているが、現在日本語として定着している「哲学」が、明治日本の西周（にしあまね）による philosophy の訳語だということはよく知られている。しかしだからといって、西欧のフィロソフィア（哲学）の東アジアにおける翻訳が、一九世紀にようやく始まったとするのは、はっきり言って間違いである。フィロソフィアが東アジアへと伝わり、その翻訳の膨大な成果が生み出され始めたのは、今から四二〇年以上前なのだから。これは日本では織豊（しょくほう）時代、中国では明代後期にあたる。

当時、自らの刷新をはかるイエズス会は海外へ目を向け、このような潮流のなかでイグナティウス・デ・ロヨラ（一四九一～一五五六）を中心に結成されたイエズス会は、宣教のため世界各地へ赴いた。一五四九年に日本、それから三十年ほど後に中国でのカトリック宣教の第一歩を刻んだのも、イエズス会である。こうして伝わった教えは、日本ではキリシタン、中国では天主教と呼ばれ、現在では東アジア宣教の最初の一世紀ほどを指して「キリシタン時代」とも呼ぶ。この時代、イエズス会宣教師が現地で熱心に取り組んだのが、キリスト教を広めるための翻訳書の編纂であった。そのなかにはフィロソフィアに関する内容が多く含まれる。このフィロソフィアとは基本的に、イエズス会の教養体系の根幹にあるスコラ哲学であったが、またルネサンスを経てイエズス会の教養体系に組み込まれたキケロやセネカなど西欧古典文学も、彼らの翻訳を通して東アジアに伝わったのである。

スコラ学では学問をしばしば神学（スキエンティア・ディヴィナ）と人学（スキエンティア・フマナ）に区分し、さらに人学の核心としてのフィロソフィアを神学への重要な橋渡しとして位置づける。フィロソフィアには論理学や自然学、形而上学など、つまりアリストテレスを基礎とする論理学や天体論、気象論、アニマ論などの諸学が含まれる。日本では一六世紀末、イエズス会準管区長ペドロ・ゴメス（一五三五～一六〇〇）が日本人イエズス会士養成のために『イエズス会日本コレジョの講義要綱』を編纂しており、そのなかで天体論やアニマ（魂）論などの詳しい翻訳がなされた。これらは西洋から伝わった活字印刷を用いて刊行された。

中国では在来の出版技術を利用し、イエズス会宣教師による漢訳書だけでも二五〇種以上の、キリスト教や西欧学術の翻訳書が出版された。なかでも西欧のフィロソフィアに関しては、最初期のイエズス会宣教師マテオ・リッチ（一五五二〜一六一〇）の『天主実義』をはじめ、多くの教理書がアニマ論を含むほか、論理学については『名理探』、天体論では『寰有詮』、気象論では『空際格致』、そしてアニマ論については『霊言蠡勺』や『性学觕述』をはじめとするフィロソフィア諸学の専門的な漢訳書が、一七世紀前半に宣教師と士大夫らの協力によって続々と出版された。それのみならず、同じ時期に福建で多くの士大夫と交際したイエズス会宣教師ジュリオ・アレーニ（一五八二〜一六四九）による『西学凡』や『西方答問』では、「斐録所費亜」という概念そのもの、およびその西欧の学問体系のなかでの位置づけも紹介された。

こうした西欧由来の「フィロソフィア」の概念は、音だけでなく意味上でも漢訳が試みられ、朱子学で重んじられる格物窮理（一事一物の理を探究し窮める）の概念が借用されたり、その省略形で「理学」と呼ばれたりもしている。

†スコラ学における理性と啓示

スコラ学では哲学は自然理性に基づいて探究する学であり、啓示に基づく神学と区別するが、両者は結び合っている。つまり人の神に対する認識は、理性に基づく神の被造物の認識を通して徐々に上昇できるのであり、究極的には啓示によって完成する。そしてまた、世界各地に赴いた宣教師は、西欧以外の人々を理性の程度や慣習の質によって文明的か野蛮か、分類しようとするのがつねであった。これらの考え方や態度を背景として、宣教師たちが日本人や中国人に比較的発達した理性を認め、強制力ではなく現地人自身の理性による論証を通して自然に信仰へと導くため、自然学や形而上学の翻訳書を数多く出版したことは、先行研究でたびたび指摘されてきた。

このように西欧の哲学が東アジアへ伝わり始める局面において、鍵となったのはスコラ学において練り上げられた「理性」なる概念といえる。それでは哲学を支えるこの理性の概念そのものは、どのように翻訳されたのだろうか。

2　理性の訳語としての「霊」

†スコラ学の漢訳における「霊性」

日本の宣教師たちは、キリスト教における諸概念が在来のものと混同される危険を避けるため、基本的に原語主義をとった。これに対し中国では、人名や地名以外は基本的に在来の儒教概念からの借用や、新たに作った漢訳語で対応している。漢字で音訳する場合でも、必ず漢字による意訳語を伴った。そのため理性に関する諸概念、たとえばスコラ学で生物のうち人だけが有するとされる理性的アニマ（アニマ・ラショナリス）は、日本ではそのまま「アニマラショナル」等と音訳されたが、中国ではアニマを「亜尼瑪」等と音訳しつつ、併せて理性的アニマに「霊魂」を当てるなど意訳に踏み込んでいる。日本での音訳語が、いかに在来の概念との差別化がはかられたのかを示すのとは対照的に、中国で生み出された漢訳語は、スコラ学と在来のいかなる思想体系との会通が試みられたのかを知るための、重要な手がかりになる。それのみならず、当時のスコラ学における理性概念が、明治期に西周による訳語として出発し、現在広く普及した概念としての「理性」の枠組みに収まりきらないということも、こうした訳語を通してよく分かるのである。

まず取り上げるのは、一七世紀中国で出版されたトマス・アクィナス『神学大全』の漢訳である。第一部の漢訳はイエズス会宣教師ロドヴィコ・ブーリオ（一六〇六～一六八二）によって、一六五四年から一六七七年頃に北京で出版され、一六七七年に第三部の補遺にある復活論がブーリオの同僚ガブリエル・マガリャンイス（一六〇九～一六七七）により漢訳された。第二部および第三部の正文は漢訳されなかったか、見つかっていない。第一部の全体の（抄訳ではあるが）漢訳という大仕事を成し遂げたブーリオは、シチリア出身でローマ学院にて研鑽を積んだあと、明清交替の混乱のなか中国に入り、張献忠（ちょうけんちゅう）支配下の四川や清初の北京にて宣教活動を行った人物である。

『神学大全』第一部・第一問は「聖なる教について、それはいかなるものであり、いかなる範囲に及ぶか」（山田晶訳『神学大全Ⅰ』中央公論新社、二〇一四年）である。その第一項では「哲学的諸学問以外に別の教を持つ必要があるか」との問いが立てられ、自然理性に基づく学つまり哲学だけでは、神をめぐる理性を超えた事柄の認識に到達できないため、啓示に基づく神学つまり「聖なる教え」も必要であるとの結論が導き出される。そのなかから、主文の冒頭に掲げられた「人間の救済のためには、人間理性によって追究される哲学的学問のほかに、神の啓示による何らかの教の存在することが必要であった」という文章を取り上げよう。この部分はブーリオの『超性学要』では次のごとく記されている。

> そもそも霊性が造物者により創造されたのは、他ならず天国での永福を享受させるためである。ただ永福を享受するには、さらに天主（神）の黙啓（啓示）も必要とする。いわゆる超性の天学である。（傍点は筆者による）

恐らくはスコラ学に慣れ親しんでいない中国の人々に合わせようとしたため、ブーリオの漢訳は必ずしも逐語的ではない。この部分でも、人が神の似像（にすがた）として理性を与えられ、本性的に神に向かって近づいていくという内容はラテン原文には見られないが、スコラ学の理解に欠かせない基本的認識のため、補ったのであろう。しかし天国での永遠の幸福に与るためには「霊性」と「黙啓」の両方が必要だとする論旨は明確である。つまり「霊性」こそ理性、もといラティオ（ratio）の訳語である。

なお「超性の天学」とは神学を指す。「性」は、儒教では人に自然的に具わった本性を指し、明清時代に宣教師たちがスコラ学の自然学に属する内容を翻訳する際には「性学」等と銘打った。「超性」とは性以上、つまり自然を超えた存在＝神を指しており、「天学」とはこの場合「天主」の学つまり神学を指す。なお天文学なども含め、宣教師のもたらした学問と教理を総称して「天学」と呼ぶ場合もある。

†「霊心」「霊才」

さて同時代のほかの宣教師による漢訳書も眺め渡してみると、ブーリオがラティオの訳語とした「霊性」は、『西学凡』や『寰有詮』でも頻出するほか、『天主実義』や『万物真原』など広く流通した教理書でも採用されている。『寰有詮』はアリストテレス『天体論』のコインブラ注解――多くのイエズス会士が教鞭をとったコインブラ大学で、スコラ学の中核であるアリストテレス哲学をめぐる多種多様な注解の統合をはかるため、一六世紀末〜一七世紀初めにかけて編纂された注解――の漢訳である。冒頭に「天主」と万物との関係を説く章が置かれていることからも明らかなように、単に天体の仕組みを説くというよりは、やはり神の業としての自然を理解するという構成がとられている。

人が［ほかの生物と比べて］貴いのは、もっぱら霊性によって推論できるという能力のためである。人を生んでおきながら推論できる能力を賦与しないとしたら矛盾であり、神がそのようなことをするはずがない。（傍点は筆者による）

ここでは明らかに、人の理性を推論の能力と捉えるスコラ学の考え方が説かれている。

また「霊性」のほか、類似の「霊心」や「霊才」なども理性の訳語として現れた。儒者や仏僧のキリスト教批判にリッチが反論する内容の『弁学遺牘』や、自然現象や人体の仕組みに表れた様々な「徴」に神の摂理をみよと説く自然神学的書物『主制群徴』――スコラ学の刷新を試みたサラマンカ学派を代表するひとり、イエズス会士レオナルドゥス・レッシウスによる著作の抄訳――では「霊心」、『天主実義』や同じリッチによる『畸人十篇』には「霊才」が用いられている。『天主実義』での用例を挙げておく。

およそ人と禽獣との最大の相違点は、霊才にあります。霊才によって、是非や真偽をよく弁別し、道理の無いことで惑わされないのです。(傍点は筆者による)

†「霊魂」＝理性的アニマ

「霊」にまつわる、もうひとつの重要な訳語は「霊魂」である。スコラ学では、人は栄養摂取と生長の能力としてのアニマ(アニマ・ヴェジタビリス)しか持たない植物や、これに加えて感覚、欲求の能力としてのアニマ(アニマ・アニマリス、あるいはアニマ・センシビリス)しか持たない動物とは異なり、理性の能力としてのアニマ(アニマ・ラショナリス、あるいはアニマ・インテレクティヴァ)をも賦与されているために、地上で最も貴い存在だと捉える。日本や中国に入った宣教師は、在来の仏教が持つ輪廻転生や殺生戒の思想に対抗する必要に迫られたため、随所でアニマ論を持ち出し、人とそれ以外の生物を明確に分かち、かつ不滅たる理性的アニマの存在を主張している。日本では『ドチリナ・キリシタン』や『妙貞問答』、『ひですの経』、『講義要綱』などさまざまな書物でアニマをめぐる議論が見られる。なかでも日本キリシタン史研究者の川村信三によれば、ゴメスの『講義要綱』でのアニマ論には、原文にない「アニマ不滅の論証」をめぐる付加部分があり、その意図として「人間本来がすでに「仏」と同様に、救いが決定し、完成されているとする思想傾向があったため」ではないか、という（川村信三『戦国宗教社会＝思想史――キリシタン事例からの考察』知泉書館、二〇一一年）。

中国では植物のアニマは「生魂」、動物のアニマは「覚魂」、そして人の理性的アニマは「霊魂」と漢訳された。これは一六世紀末に中国宣教の端緒を開いたミケーレ・ルッジェリやリッチ以来の、アニマをめぐるおびただしい漢訳著述を通して、深く定着している。

†漢語としての「霊性」

漢語において、スコラ学の理性の概念を受け止めたのが「霊」なる概念だったことは、意外に見えるかもしれない。日本では二〇世紀初め以来、「霊性」がスピリチュアリティの訳語として定着し、「理性」とは宗教と哲学・科学といった枠組みで区別され、むしろ対立的に捉えられがちなのだから。しかしスコラ学における理性の概念を踏まえると、なぜ「霊」なる訳語がとられたのかが分かってくる。この点で重要なのは、まずスコラ学において練り上げられた理性の概念が、単に地上の世界をめぐる判断や推論そのものに目的があるというよりは、このような推論を通して、理性の源泉であり、理性を超えた存在である神の認識へと人を方向づけるものを指している、ということである。

この点を踏まえて、改めて漢訳語の「霊」を吟味したいのだが、その前に言及しておかなければならないのは、「霊性」が、熟語としては仏教や道教の経典に比較的よく現れる言葉だった、ということである。では宣教師は仏教や道教から「霊性」を借りたのかというと、そう単純な話ではない。これまでの研究によって、日本においては、宣教師は仏教批判を繰り広げつつも、キリスト教を現地化する試みのなかで、仏教的概念が教理の説明や儀礼、組織の面などに避けがたく入り込んだ、ということが明らかにされてきた。では中国はどうかというと、中国に進出したばかりの頃の宣教師も、袈裟を着て「僧」と自称するなど仏教の姿を借りようとした。しかし、まもなくリッチは、親しく交際したある儒者から、社会的な位置づけが微妙な仏教に擬するのは得策ではないとの助言を受ける。これをきっかけとして彼らは、適応すべき対象を儒教に変える。この大きな方針転換以来、宣教師たち自身が中国で仏教の概念を敢えて借用することは、管見の限りほとんどなかった。

中国で宣教師たちが用いた「霊性」の内容からしても、それが仏教や道教から借用された可能性は低い。なぜなら彼らが「霊性」を語るとき、その「性」が儒教概念としてのそれを強く意識したものであったことは確実だからである。たとえば『超性学要』では、次のごとく述べられている。

思うに性とは他ならず、物をその本来の物たらしめるものだ。霊なる物にあっては霊性といい、それ以外の物にあっては物性という。そもそも物性は無知無覚なので、必ずその向かうところに到達するのは、霊なる者が引動し、その目的に達せしめることに帰せられるのだ。これを踏まえれば、性は物の根源でなく、物性を引動する者こそ物の根源であることが分かる。これを天主という。

これは『神学大全』第一部第二問第三項において、神の存在を論証するために示された五つの道のうち、第五の道に関する部分と思われる（第一～第四の道に関する論述はほぼ省略されている）。つまり「認識を欠いているもの」すなわち自然物体は、偶然的にではなく意図的に、目的に到達するが、そのためには「何か認識し理解する者」によって指示される必要があり、ゆえにすべての自然物が、それにより目的に秩序づけられる「何らかの知性認識者」、つまり「神」が存在すべきだ、という議論である（『神学大全I』）。

この原文に対し漢訳のほうでは、「自然物体」というよりもその「性」に焦点があり、「性」は物の根源でなく、「性」を引動する存在（神）こそが根源である、と微妙に論旨が調整されている。これは儒教における「性」、つまり前述したように自然的に具わった本性、という概念を敢えて利用しているためであろう。そして「性」は「霊なる物」つまり人においては「霊性」、それ以外の物においては「物性」である、という。すなわち、ここでの「霊性」とは、

「霊なる物」における「性」ということになる。

†朱子学における「霊」

そこでいよいよ、「霊」の概念を問い直さなくてはならない。明清時代、さまざまな反発を受けつつも、科挙科目としての地位を占め、大きな影響力を維持した朱子学では、この概念が多用される。まず朱熹（一一三〇～一二〇〇）は、「知覚」とはすなわち「心の霊」であり、理と気が合することにより現れる、という（『朱子語類』）。また南宋の陳淳は、朱子学の重要概念を『北渓字義（ほっけいじぎ）』にまとめたが、その「鬼神」の節では、程頤の「鬼神は造化の跡」、張載の「鬼神は二気の良能」を引用し、その説明として次のように述べている。

鬼神とは、陰陽二気の屈伸往来にほかならない。（陰と陽の）二気からいえば、神は陽の霊、鬼は陰の霊である。霊というのは、自然に屈伸往来して、このように活き活きしているのにほかならない。

以上の例からみれば、朱子学における「霊」とは、気のとくに清澄、活発ですぐれたものであり、人においては心の本体であり、知覚をなすものだといえる。

そもそも朱子学における気とは、万物の造化のもとであり、とくにすぐれた「精気」の集まりによってできているのが人であって、そのために運動や思考ができる。そもそも儒教の経書のひとつ『書経』でも、その「泰誓上」篇において「ただ天地こそが万物の父母であり、人こそが万物の霊である」と述べられている。

つまり宣教師たちが理性の漢訳語として用いた「霊」の概念の背後には、気を媒介とする人と天地万物とのつながり、また気のなかでもとくに活発ですぐれたものが天地のあいだで鬼神となり、地上では人を形作るという儒教的な、とりわけ朱子学的な思想がある。こうした「霊」の概念は、人と万物の根源とを結び、かつ地上での最上の位を人に与えるという意味で、スコラ学的な理性の概念とうまく共鳴している。と同時に、現代の「理性」の枠組みには収まりきらない、当時の理性概念を、鋭く反映してもいるのである。

†士大夫たちとの対話

では、この訳語としての「霊」はいかに考案されたのか。宣教師が持ち込んだキリスト教やスコラ学に関するさまざまな概念は、しばしば彼らの独力ではなく、宣教師が口述した内容を現地の士大夫らが筆記したり、文章を整えたりするなど、両者の協同作業を通して翻訳された。「霊性」「霊魂」を最初期に用いた宣教師のひとりであるリッチは、明の高官にして天主教信者にもなった徐光啓（一五六二～一六三三）をはじめ、李之藻や馮応京ら士大夫たちと親しく交際し、彼らと協同して『天主実義』などの書物を出版した。その後も多くの士大夫が宣教師による漢訳を助け、序文や跋文を寄せ、出版や重版に関わった。こうした協同作業の場では、当然ながらさまざまな対話がなされたことであろう。「霊性」や「霊魂」といった訳語も、こうした協同作業を通して練り上げられ、定着していったものと考えられる。

3　東アジアから西欧へ――理性と「理」

†理性と「理」

ところで、理性をめぐる思想の伝播は、西欧から東アジアへという方向のみで生じたわけではない。東アジア宣教における適応政策の構想者アレッサンドロ・ヴァリニャーノ（一五三九～一六〇六）は、日本人を理性的な人々として分類し、これに即した実践の方針を立てたが、日本キリシタン文学研究者の折井善果によれば、こうした認識や実践が、西欧での理性をめぐる問い直しと相互作用の関係にあった可能性が出てきている。また中国に関しては、儒教の西漸史を専門とする井川義次が、イエズス会宣教師による儒教経書の翻訳が「神学的解釈から孔子を解放しようと」したクリスティアン・ヴォルフの解読を通じて、理性に深く根差した教えとして啓蒙思想の形成に作用したことを明らかにしている（折井論文は末尾の参考文献リストの『宣教と適応』所収。井川の著作も同リストに挙げた）。

ただし宣教師の東アジアにおける経験や現地の思想の翻訳は、人間的な「理性」を補強する方向でのみ受容されたわけではない。神学的な万物生成観に重ね合わせる方向性も存在した。そしてこのような向きにおいて、もっとも強く西欧の知識人を引き付けたのは儒教の「理」であった。

しかしこのことは一見不可解である。なぜなら朱子学において理とは万物の根源たる太極に通じ、かつ気に相即して万物を具現化するのだが、宣教師はこの理や太極をことあるごとに激しく批判したのだから。彼らは、理や太極は感覚や理性を持たない物体の準則に過ぎず、ゆえに感覚や理性を持つ存在を生み出すことはできないし、必ず物に依存し、自立的に存在することも不可能であって、万物の根源たるにふさわしくない、という。この議論は宣教師による漢訳書の随所に現れるが、ここでは再び『超性学要』を引用しよう。前掲の『神学大全』第一部第二問第三項に対応する部分で、「性」は物の根源ではなく、神こそ根源だと述べたあとの論述である。

この点は理も（性と）同じである。理は自立した物ではなく、霊性（理性）の道具であり、事を窮め物に格る（窮格事物）手段である。思うに理は人性や事物にあり、理が事物にあり人心に合すれば、事物は真実といえる。人心が物にある理を窮めれば、これを物に格る（格物）という。このことから理は物や心にあり、つねに（物や心に）依存して存在し、変易し、物のあとに存在する（物が存在して初めて存在できる）ことが分かる。果たしてこれを物の根源とすることができようか。

これは明らかに原文から逸脱した記述である。それだけに、ここでやり玉に挙げられた格物窮理の理、すなわち「個々の事物に即してある」と同時に万物を貫く「普遍的な秩序原理」としての理、そしてそれと一体化しうる「人の心の理」（林文孝「理」、永井均他編『事典哲学の木』講談社、二〇〇二年）という朱子学的な理が、宣教師にとっていかに周到に批判しなければならない対象として認識されていたかがよく分かる。

†理と物事との関係

このような宣教師の見方は、そもそも朱子学における「理」が、恐らくは朱熹自身の意図をこえて、どうしても実体化していかざるを得なかった、というそのあり方に起因するものでもあろう。加えて、理は物事と相即してあるのであって、理と物事はどちらが先で、どちらが後という関係ではない。しかし宣教師たちの万物生成観とは、全体として前と後、造物と被造、能動と受動のような二項対立的枠組みによって体系づけられていた。彼らの枠組みからすれば、朱子学的な理と物事との関係のあり方は、単に矛盾したもの、未熟なものとしてしか捉えるべが無かったのである。

とはいえ川原秀城（かわはらひでき）によれば、朱子学の理気論がとりわけ深く掘り下げられた朝鮮朝では理到説――理は運動の能力を持ち、能く自ら到る、とする――や理無形無為説、また理気互発説や気発理乗一途説が出る（川原秀城「宋時烈の朱子学――朝鮮朝前中期学術の集大成」、同編『朝鮮朝後期の社会と思想』勉誠出版、二〇一五年）など、理の運動性や能動性をめぐって真っ向から対立するような解釈が、一六～一七世紀に次々に現れている。このことからすれば、理をめぐる宣教師の批判的態度は、必ずしも彼らの思想的背景の独自性にのみ帰せられるのではなく、この時代の朱子学における理のあり方そのものが論争的な、言い方を替えれば、多様な文脈において議論し得る問題でもあった。

†理の能動性をめぐる東西の議論

さて以上のような朱子学的「理」は、宣教師を通して西欧へ伝わったわけだが、西欧ではどのように理解されたのか。理について比較的熱心に議論した西欧知識人といえば、ゴットフリート・ライプニッツ（一六四六～一七一六）をおいて他にないだろう。彼は宣教師からもたらされる中国情報に強い関心を持ち、とりわけ太極や理、天、鬼神などが織りなす儒教的万物生成観についての宣教師の報告を批判的に分析し、独自の解釈をほどこした。なかでも「理」をめぐっては、『創世記』の「神の霊が水のおもてをおおっていた」の「神の霊」が理と置換可能と述べる（山下正男訳「中国自然神学論――中国哲学についてド・レモン氏に宛てた書簡」、下村寅太郎ほか監修『ライプニッツ著作集10　中国学・地質学・普遍学』工作舎、一九九一年）など、なんと神との同質性を主張したのである。

理が太極つまり完全なものといわれるのは理が万物を生み出すに際して力の限りに働き自分の能力を出し尽くしたからです。しかも理はその仕上げとしてなお、万物に対しそれ以降は自らの自然的傾向性によってそれぞれの進路を予定調和的にたどることのできる能力を植えつけました。（「中国自然神学論」）

ここで説かれている理とは、宣教師たちの解釈を大きく突き抜けて、万物を生成し動かす力そのものであり、かついわば超能動性をもった存在といえる。さらに「知性を超えた存在」「決して誤ることがないのだから無理に知性を働かす必要もない」存在ともいう。

こうしたライプニッツの解釈を歴史的に位置づけようとするとき、前に引いた川原秀城の研究が再び参考になる。それによれば、朝鮮朝で理気をめぐる論争を繰り広げたひとり李滉(イファン)は、理を「情意」も「造作」も無いにもかかわらず、決して「死物」ではなく、むしろ人心のいたるすべてに到り、すべてを尽くす、「運動因を備えた活物」だとした。これもまた、理をめぐる議論が超能動性へと行き着いた事例といえよう。つまりこの時代、理の能動性をめぐって、間接的とはいえ、東西を結ぶ議論の圏域が確かに生じていたのである。

4 天主教批判からさらなる普遍の模索へ

†「神道」としての儒教

本章の締め括りとして、宣教師による翻訳が現地の人々の思想活動といかに触れ合ったのか、見ておきたい。漢訳、あるいは原語を残す形で伝わった不滅の霊魂や神をめぐる思想は、中国や日本でいかなる作用を持ったのか。宣教師と現地の人々との協同によって翻訳されたキリスト教やスコラ学は、単に知識として受け取られるのみではなかった。これらに触れた現地の人々のなかには、自らの側における普遍性を問い直し、あるいは新たに打ち出す者たちが現れた。そして興味深いことに、こうした方向性は宣教師たちに反発した人々において、より強く現れたようである。

まず明代の儒者である。中国で活動したイエズス会宣教師は、基本的に現地に適応する方針をとり、なかでも儒教の天、祖先、孔子を祀る儀礼は神への信仰と衝突しないとの妥協的解釈を講じたり、儒教経書に現れる「上帝」をキリスト教の神（天主）を説明するために借用したりするなど、儒教への適応をはかった。しかしだからといって、宣教師の振る舞いが、儒者の側に必ずしも好意的に受け入れられたわけではない。実際、宣教師たちが勝手に「上帝」の名を彼らの神にかぶせるのは不遜だとしたり、彼らの教えにおいて皇帝から一般庶民までひとしなみに「上帝」（神）を奉じ祀るとするのは、儒教本来の上帝祭祀のあり方、つまりもっとも重大な儀礼ゆえに皇帝のみが主宰するという規定を損ない、秩序を乱すものだと非難したりするなどの厳しい反応が、儒者のあいだで広くみられる。

なかでも興味深いのは明代後期の儒者、王啓元（一五五九頃～没年不詳）の議論である。有名人物というわけではないが、漢語圏では北京大学教授などを歴任した陳受頤が、一九三〇年代にはすでにその思想的意義に注目した研究を発表している。王啓元の思想は全一六巻からなる『清署経談』を通して知ることができる。この書物は、明朝の太祖洪武帝が孔子祭祀の制度を整備するなど、尊孔の態度を鮮明に打ち出したことへの称賛に始まり、道教と仏教に傾倒する士紳への批判へと展開していく。そしてこのような皇帝の政策への共感と、当時の士大夫らの思想風潮への危機意識から、儒教の権威の再構築をとなえるのだが、こうした危機意識を煽ったとりわけ大きな要因こそ、新興勢力としての天主教であった。彼は「天主」が「上帝」を僭称し、宣教師が両者を混淆して人々を惑わせ、本来天子のみが仕えることのできる上帝を、上下関係なく人々がみな祭祀する対象としたことで名分を侵していると非難したのである。

より注目すべきは、彼が天主教の禍は仏教のそれより甚だしいとの旨を主張したあと、次のごとく述べている部分である。『清署経談』巻一六の一節である。

> 世の聖教を識る者は、「彼の言及するのは人事のみで、神道には与らない」と述べるに過ぎない。そもそも『論語』では「子は神を語らず」と述べられているが、『易経』繋辞伝では神について何度も言及されており、神を知らずしてただでたらめに神に言及しているのみだとでもいうのだろうか。ほかの（仏教や天主教の）書に記載されている前知のことは、儒者は言葉には出さないが、孔子が神であることは明らかである。

この「孔子が神である」の「神」とは、超越者としての神というよりも、「前知」つまり来世に関する預言をつかさどる者のことだろう。そして来世をめぐる教えとしての「神道」は、「人事」としての現世の物事と対比される。こうして王啓元は、天主教批判を経由して、儒教における「神道」の側面の再発見へと向かっていく。これまでの研究では、儒教の「宗教」化は清末の康有為による「孔教」の提唱から始まるとするのが通例だが、その三〇〇年ほど前にはすでに、王啓元による「神道」説が出ていた。もちろん、それが現代の「宗教」概念にただちに接続するわけではないが、前史として見逃してはならない事例である。

†「虚空の大道」

さらに仏教の僧侶たちは、日本と中国の双方で宣教師たちのもっとも強力な論敵となった。日本近世仏教研究者の西村玲は、彼らの天主教批判に焦点を当て、彼らが「天主の世界を万億の一つとみなして天主を相対化」するにとどまらず、天主という「外界」に立てられた普遍の存在に対し、「世界万象を包んで内在する虚空の大道」を「全き根元」、いわばより全き普遍として提示してみせたことを明らかにしている（西村玲『近世仏教論』法藏館、二〇一八年）。

こうした王啓元や仏僧たちによる議論は、近世東アジアに宣教師がもたらし、在地の知識人とともに翻訳したスコラ的、キリスト教的普遍が、単に共感や反感を呼ぶのみにとどまらず、ときには反作用的な議論を通してさらなる普遍の模索へと向かわせる契機となったこと、そしてその前提として、こうした未知の普遍をめぐる議論を受け止める思想的土壌が存在していたことを示している。

さらに詳しく知るための参考文献

井川義次『宋学の西遷——近代啓蒙への道』（人文書院、二〇〇九年）……西欧近代を特徴づける啓蒙思想の形成に、中国から宣教師を経由してもたらされた儒教思想がいかに作用したのかを論じる。西欧と東アジアとの思想接触を双方向的観点から問い直すために必読の書。

折井善果『キリシタン文学における日欧文化比較——ルイス・デ・グラナダと日本』（教文館、二〇一〇年）……日本で翻訳され、広まったキリシタン文学の特質を、その原典の同時代西欧、および各宣教地における位置づけから捉え、さらに在来の「自然」などの概念との交差を通じてキリスト教と在来思想との共鳴および断絶を解き明かしている。

川原秀城編『西学東漸と東アジア』（岩波書店、二〇一五年）……キリスト教と並行して盛んになされた西欧科学の翻訳も、単なる個別の知識の伝達にはとどまらず、西欧と東アジア双方の学術的潮流の交わりとして捉えられる。本書では宣教師が西欧の科学や思想のいかなる内容を翻訳し、それらが東アジアでの「天観・地観・人観」の変容にいかに作用したのかという大きな問いをめぐって論証が展開される。

齋藤晃編『宣教と適応——グローバル・ミッションの近世』（名古屋大学出版会、二〇二〇年）……中国や日本での宣教師による思想翻訳は、つねに現地での宣教実践と深く絡み合っている。本書は宣教における「適応」をキーワードとして、ラテンアメリカ、インド、日本、中国での宣教実践と思想活動を横断的観点から捉えようとするもので、世界的にもほとんど類をみない試み。

第6章

西洋における神学と哲学

大西克智

本章では、西洋における神学と哲学の関係を取り上げる。とりわけキリスト教世界において、神学は哲学の基盤として、あるいは哲学の営みに穿（うが）たれた楔（くさび）として、哲学史の変遷に深く関わってきた。これから描出を試みるのは、その変遷の一部分であり、それ自体、世界哲学史の重要な一局面をなす。もちろん、ユダヤ世界にも、イスラーム世界にも、神学と哲学的思考のあいだには固有の関係があり、したがって、神学と哲学が各世界において結ぶ関係同士のさらなる関係を究明する試みが、いつかなされてよいだろう。本章はまた、そうした試みの布石のひとつともなることを期している。

以下、右の変遷の深層を探ってゆくために、考察の焦点を信と知の関係に絞り、その原型のひとつを、一一世紀の人アンセルムスへ遡るかたちでまず確認しておきたい。そのうえで、当初の関係が、他ならぬバロックの時代を通じて蒙（こうむ）る決定的な変質の過程を、一六世紀末イエズス会の神学者モリナ（一五三五〜一六〇〇）、同会の神学者にして哲学者スアレス（一五四八〜一六一七）、そして一七世紀の哲学者デカルト（一五九六〜一六五〇）の三人に即して辿り直そう。

1　信と知の原風景――アンセルムス

†神学と哲学

最も広い意味で捉えれば、「神学（テオロギア）」とは「神について考え、語る学問」である。「それ自体で最善にして永遠の生命」である「神」を掲げるアリストテレスの神学は、「形而上学」すなわち「第一哲学」の別称であり、「神（々）」に関するストア派の理説は、彼らの哲学的コスモロジーの一部分をなしていた。いずれにしても、古代ギリシアにおいて、神学と哲学のあいだに強い緊張が走ることはない。両者の関係が問題と化すのは、つまり神学と哲学の隔たりが強く意識されるようになるのは、二つの学を、キリスト教文化圏に属する人々が担うようになって以降のことである。

キリスト教信仰の屋台骨は、神の受肉や、キリストの復活と人類の救済など、人知の及ばない一連の教義によって形成されている。しかるに、「こういった超自然的な玄義に触れうるのは神学であって、哲学ではない。哲学の任務は、人間の自然本性に基づく理性が届く範囲に限られるのだから」。古代末期の教父であれ、中世以降の神学者であれ、このように考えない者は、たとえいたとしても、きわめて稀だろう。おのずと、彼らが神学と哲学の関係を問う場合、たとえば、神の啓示にかかる神学上の真理と、哲学的理性が見出す真理の関係を問う場合、区別を前提とした関係が問われることになる。

本章では、しかし、この前提を自明なものとしすぎないように気をつけよう。神学もまた当然のことながら人がなす営みであり、哲学には、その生誕時から、人間の存在を超える何かへの志向が埋め込まれている。その何かを名指す言葉が西洋においては「神」であり、「神について考え、語る学問」という神学の字義は、哲学にもまたあてはまる。

じっさい、神学と哲学が相互に浸透し合い、両者の境界線がぶれるケースは、時代を降れば降るほど、目につくようになってゆく。たとえば、このあと検討するモリナの神学書『コンコルディア』は、その重要な部分に、人間の意志の力を神から切り離して分析する哲学的な議論を据えている。あるいは、デカルトの『省察』において、「神の存在証明」は、彼の形而上学のまさしく屋台骨に相当する。しかも、解釈の問題がここに被さって、事態はいっそう見通しがたくなる。モリナの「哲学的」な議論も神学の構成要素としてみれば「神学的」と呼びうるし、神をめぐるデカルトの思索は、「神学的」とも形容される一方で、そのような捉え方を認めない立場も当然ながら強い。

このように、学問の内容ないし対象に向かって、それは神学(的)なのか、哲学(的)なのかと問うてみても、埒のあかない場合があまりにも多い。神学と哲学が結ぶ関係の内側に光を当てるには、問いかける先を変えるほうがよい。

†神学者と哲学者

神学と哲学の境界が揺らぎ続ける一方で、じつは、それぞれに携わる人のほうがぶれを感じさせることは、皆無に近いと言ってよい。哲学的概念をいかに駆使しても、モリナは哲学者ではない。神学的問題に触れたことで、デカルトが神学者になるわけではない。この点にぶれが生じないのは、人間に具わるふたつの原初的な力が、神学者、哲学者、あるいは――スアレスの場合のように――神学者にして哲学者、それぞれの内部で働いており、その働きの現実性が、たとえばデカルトが哲学者であるということを、疑わせないためである。

手はじめとして、この力に関する近世の証言を、ひとつ取り上げよう。若いライプニッツが残した草稿群のなかに、『哲学者の告白』(一六七二年頃)と題された、「神学者」と「哲学者」による対話篇がある。次に引くのは、その冒頭部分である。

神学者：神が正義であることを、あなたは信じるか?

哲学者：はい、信じます。いや、そうであると知っています。
神学者：あなたは、誰を神と呼んでいるのか？
哲学者：全知にして全能の実体を。
神学者：正義とは、いかなることか？

「神学者」の最初の問いに対する「哲学者」の答え方に注意しよう。ライプニッツは、彼自身でもある「哲学者」に、「信じます」を「知っています」とわざわざ言い直させている。神学者の神学者たる根拠は信じる力に、哲学者のそれは知る力にある、と考えてのことである。

たしかに、それはそうであるのだが、「哲学者」が「はい、信じます」といったんは認めている通り、哲学者の内にも信じる力は働いている。また神学者にしても、学問に携わる者として、知ろうとする欲求を抱かないはずはない。超自然と自然が、もっぱら神学と哲学の隔たりを示すとすれば、信と知は、そして信が求める神学と知が求める哲学は、一つの精神の内部で、さまざまな関係を結ぶ。

以下、若いライプニッツの眼には――晩年の著作『弁神論』（一七一〇年）で神学者の三つ目の問いに正面から取り組むことになる彼の眼にもなお――映ることのなかった、文字通り内的なこの関係を、冒頭に名を挙げた四人の思想に即して、検討する。一人目は、みずからの内に感知した二つの力の働きを、前例のない明晰な言葉で記録した人、アンセルムスである。

†知を求める信

北イタリアの郷里をあとにしてアルプスを越え、二七歳（一〇六〇年）にしてノルマンディ地方ベックの修道院に入り、アンセルムスは修道者となった。その後、同修道院長（一〇七八年以降）を経て、六〇歳の時（一〇九三年）イギリスのカンタベリー大司教の座に半ば以上強いられて就く。ローマ教皇の代理を務める政治職に馴染まないアンセルムスの心は、生涯、祈りと学究の世界にあった。と同時に、自分が信じる神について知ろうとする彼の欲求は、ものごとの認識を整える弁証論理学の整備にも向かい、結果的に、「問題」の立論と反論からなる「討論」を重んずるスコラ学への道を拓いた人々の一人に数えられることになる。

最初に引用するのは、修道院長となる直前に書かれた前期の主著『プロスロギオン』（「対話」の意味）から、アンセルムスが自身の思索の基本的な態勢を語る箇所である。

主よ、私は、あなたの高みを窮（きわ）めようとは思いません。私の理解が、その高みに及ぶはずはありません。それでも、自分の心が信じ、また愛しているあなたの真理を、わずかでも理解したいと望まないではいられないのです。信じるために理解したい、というのではありません。あくまでも、理解するために、信じるのです。「信じるのでなければ、理解することもないだろう」ということも、私は信じているのです。

ラフに言い直してみよう。「神のすべてを理解することはとうてい不可能だとしても、神が自分の信じている相手である以上、その相手のことを何か知りたいと思う。知ることで、信じる気持ちを固めようというのではない。信じる気持ちが、知りたいと思わせるのだ。この気持ちがまず働くのでなければ、そもそも人は何も理解できないはずなのである」。

このあとアンセルムスは、「あなたが私たちの信じているように存在し、私たちの信じている通りの方であることを……私が理解するようお取り計らい下さい」と述べて、神の存在証明に着手する。「お取り計らい下さい」と請う一方で、証明自体は、「理性こそ、人間の内にあるすべてのものの君主であり、審判者である」という確信に基づき、「聖書の権威」に頼ることなく、進められてゆく。

デカルトが継承し、カントが「存在論的証明」と呼んで失敗を宣告するなど、後世に大きな波紋を残したこの証明の詳細には、立ち入らずにおこう。むしろ、存在証明を担う理性への信頼さえも、神への信を凌駕することはけっしてなかった、という基本的な事実がもつ意味について、ここでは考えてみたい。アンセルムスの哲学的傾向を象徴する表現として、「知解を求める信」（『プロスロギオン』序文）という言葉がしばしば援用される。しかし、知への強い欲求の源泉は、あくまでも信にある。だとすれば、この欲求以上に強い何かが、信の側にも具わっていたのではないか。

†経験と罪

「信じるのでなければ、理解することもないだろう」という言葉は旧約聖書「イザヤ書」から取られているが、この言葉を自分が「信じる」理由を、アンセルムスは、後年の著作（『言（ことば）の受肉に関する書簡』）で次のように説明している。

　というのも、信じるのでなければ人が経験することはなく、経験するのでなければ人が知ることもないからです。

裏返せば、ただ信のみが「経験」に値する、ということである。この経験は、彼を含む誰もが日々積み重ねる大小無数の経験のひとつではない。唯一無二のリアリティを感じさせ、自分の生存感覚が丸ごとそこにかかっていると思わせるような強い経験である。その経験が、アンセルムスの場合は、「信じる」ということだったのか。なぜ、そうでなければならなかったのか。

「主よ」で始まる箇所の直前で、彼は次のように述べていた（「　」内は旧約聖書「詩篇」からの引用）。

「私の罪は私の頭の上にのしかか」り、私を覆い隠し、「重荷のように」私を圧します。その罪を取り除き、重荷を外し……て下さい。

原罪の神話に遡る「罪」は、「ひとりの人［＝アダム］によって罪がこの世に入り、罪によって死が入って来たように、すべての人が罪を犯したために、死がすべての人に染み通ってしまった」（新約聖書「ローマの信徒たちへ」）というパウロの認識を経て、キリスト教神学の中枢に据えられた。アンセルムスの語る「経験」の表看板が「神を信じる」だとすれば、その裏側には、罪から「私たちを助けてください」（「詩篇」／『プロスロギオン』）と記されている。

罪責の念にアンセルムスが覚えた慄き（おのの）を共有することは難しいとしても、彼の語る「罪」が、知的操作の可能な抽象概念ではなく、彼を現実に苦しめる力を振るっていたことは、想像できるだろう。「なぜ彼［＝アダム］は、光を私たちから遮断し、闇で私たちを包囲したのか。なぜ彼は生命を私たちから奪い去り、私たちに死を負わせたのか。……悲惨な喪失、悲惨な苦悩、すべてが悲惨である」。右の引用のもう少し前に記されたこの嘆きが心底から出たものであることに、疑いを容れる余地はない。明晰性を志向する知を駆動するアンセルムスの信は、罪責への慄きをそれ自体の駆動因とする信であり、彼は、そのような信を拠りどころとする神学者だった。

*

アンセルムスに先立って、自分は「理解するために、信じる」者である、と同じく述べていたアウグスティヌスのことに触れてから、次に進もう。アウグスティヌスは、罪と悪に慄く信を知の力で支えようとした、キリスト教思想史における最初の人である。彼が覚えた慄きは、最初の人のそれとして、アンセルムスの場合より遥かに混沌として、そのぶんおそらく強かった。二人を隔てる六〇〇年は、その混沌のさなかから、アンセルムスの手によって、信と知の働きがそれぞれ純化したかたちで抽出されるまでに要した年月である。

同じ六〇〇年を、アンセルムスから今度は逆向きに後世のほうへ飛んだ時、信と知の関係は、いったいどのようになっているのだろう。

2 乖離する信と知——モリナとスアレス

†第四カノン

モリナは一五三五年、マドリードの東方クエンカに、スアレスは一五四八年、アンダルシアのグラナダに生まれ、二人とも一三世紀に創設されたスペイン最古のサラマンカ大学で神学と哲学を修めている。一五四〇年に創立されたイエズス会へ、いずれも一〇代後半で入会。長じてのち、モリナはポルトガルのコインブラとエヴォラの大学を経て郷里の神学校で、スアレスは各地のイエズス会付属学校を経てコインブラ大学で、神学と哲学を講じた。二人のあいだに実際上の交流があった形跡はない。

彼らの思想は、宗教改革の波を押し返そうとする対抗宗教改革運動、とりわけトリエント公会議を抜きにして語れない。公会議は、正統信仰（カトリック）の教えをカノンとして確定する、全カトリックの最高会議体であり、カノンに反する人と思想は異端として排斥される。トリエントでも多くのカノンが定められるが、そのなかでも一六世紀後半の神学と哲学に決定的な影響を与えたのが、一五四四年の第六総会で打ち出された、次の第四カノンである。

意志は、たとえそう欲しても神に同意しないことはできない、と主張する者は異端である。

裏返せば、「意志は、そう欲するならば、神に同意しないことができる」。中世以来、人間の行為は、人間の意志と、その意志に対する神の働きかけの双方によって成立する、と考えられてきた。神の働きかけは強制ではなく、それに「同意しない」余地を人間の側に残す。善行を促す神の働きかけに同意しないこと、それがすなわち悪をなすということであり、その責任は、当然ながら人間が負う。逆に、もし「同意しない」ことが不可能なら、悪の責任を人間に問えなくなり、返す刀で、神が悪の責めを負うことになってしまうが、それはまずい。

第四カノンが、中世を一貫するこの共通理解に改めてお墨付きを与えたのは、「同意しないことはできない」という考えを肯定しかねない、新教の決定論的思想を排撃するためだった。ルターによれば、「救済と劫罰に関して、人間に自由意志はない。人間は、むしろ、神の意志か悪魔の意志か、いずれかに捕われ、従い、いずれかの奴隷となる」(『奴隷意志論』)。

旧教と新教がこうして鋭く対立する一方で、旧教諸派の内部でも、カノンの文言解釈をめぐって、身内同士であるがゆえにいっそう際限のない争いが繰り広げられる。一六世紀後半における神学界の混乱を象徴するこの「恩寵論争」において、ひときわ異彩を放つのが、従来の神学的常識を覆す、モリナの自由意志論である。

モリナの主著は、通称『コンコルディア（調和）』。正式には、『恩寵の賜り物、神の先知、摂理、予定および劫罰と、自由意志との調和』（初版一五八八年／改訂版一五九九年）という。恩寵、先知、摂理、予定および劫罰は、いずれも神の意志ないし知性の働きであり、あるいは働きの産物である。モリナは、これらすべてと人間の自由意志は完全に「調和」した状態にあり、一方が他方を損なうような事態は生じえない、ということを論証しようとする。

論証の鍵は、著作のタイトルには数え上げられていない「協働」にある。恩寵が、人間の力を超える回心や救済など、神からの「特殊な［＝超自然的な］働きかけ」であるのに対し、協働は、人間の意志がなす通常の行為に対する「全般的な［＝自然の水準における］働きかけ」である（神学的考察が哲学の考察領域である自然の領域に降りてくることで、神学と哲学の境界が曖昧になる、典型的なケースと言えるだろう）。複雑で精緻な論証の最終段階において、モリナは次のように言う。

> 人間は、みずからの自由と放埒によって、意志と、神の与える全般的な協働を、自然の製作者［＝神］に結びつけられていないもの［＝悪しき行為］のために濫用する。

繰り返せば、第四カノンが「同意しないことができる」と定めたのは、罪悪の責めを神に帰さないためだった。人間はみずからの意志で神から離反し、罪を犯し、その責めを負うが、その離反すなわち罪は、人間の自由による――人間的自由の証となる――行為ではけっしてない。自由は善(き行い)としか結びつかない。古来一度も疑われたことのないこの大前提に、第四カノンもまた基づいている。逆に言えば、カノン自体に、人間の自由を守ろうとする意図は、いっさい含まれていない。

この大前提を、すなわち、自由と善とのあいだに古くから保たれてきた結びつきを、モリナは右の箇所で断ち切っている。「濫用する」こと、つまり善へ促す神の働きかけを拒み、神から離反することも、人間は「みずからの自由」――別の箇所の表現では「悪をなす自由」――によってなす。しかも、モリナは、「全般的な協働」を拒む自由に関する論証と結論を、神のあらゆる働きかけに転用する。自然と超自然の区別は意味を失くし、人間は、恩寵でも救済でも拒む自由を具えた存在となる。さらには、意図的・意志的な背神にこそより大きな自由が宿るという、倒錯とも見紛いかねない考え方すら、『コンコルディア』には埋め込まれている。

†信を求めない知

人間は、神の働きかけを、拒みがたいが拒めないではない、と考えるか(ドミニコ会系)、拒めるのだと、端的に考えるか(フランシスコ会系、イエズス会系)、微妙なニュアンスの相違をめぐる「恩寵論争」を見渡しても、あるいは神学の歴史をどこまで遡っても、モリナ以上に強く人間の力を肯定した神学者は、彼以前にいない。そう、モリナは、あくまでも、信仰に篤い神学者であった。神の働きかけを人間は自由に拒みうるという考えも、その発端には、拒んで悪をなすのは人間であり、悪の責任は神にないという点を明確にしようとする、モリナの信に基づく意図が、働いていたはずである。その彼の知が、人間的自由の絶対化へと向かうことになったのは、なぜなのだろう。

おのずと、アンセルムスの信に貼り付いていた罪悪への慄きのことが、思い起こされる。あの執拗な慄きを、モリナの信はまったく感知していない。感知していれば、「悪をなす自由」という観念が、彼の精神に到来することもなかっただろう。慄きを免除された信に促された知の見出した神が、拒否しても差し支えない神であったことは、むしろ当然の帰結であったのかもしれない。信は、アンセルムスの知にとって、源泉であり、依拠し、還る先だった。この点で、「知を求める信」は、同時に「信を求める知」でもあった。そのような信を、しかし、モリナの知が求めることはない。

モリニズムを無神論として批判する声は、当時もそれ以降も絶えないが、批判の当否をいま論ずる必要はない。それよりもいっそう重要なのは、真逆の宗教的立場にいた人物――「ただ信仰のみ」と説いたルター――から、あたかも引き継ぐようなかたちでモリナが果たすことになった、思想史上の役割である。「九五箇条の提題」（一五一七年）に踏み切る数年前、旧約聖書

「詩篇」の講義でルターが示した「神学者」の定義を次に引く。

　生きる者として、いやむしろ、死すべき者、呪われた者として、人は神学者となる。知解し、
　読み、思弁をことにする者としてではなく。

「呪われた者」は、もう少し穏便に「罪を負う者」とも訳せるが、ルターが「神学者」に求めた罪責意識は、知への欲求を忌むべきものとするほど、強烈だった。罪悪と死の観念に呪縛されたルターの信は、知を求めるのではなく拒むことで、一気にパウロのもとへ帰ろうとする。そのような仕方で世紀の初頭にルターが告げた信と知の乖離を、逆の仕方で、つまりかつてのような信を知に求めさせないことによって、世紀の末に改めて告げ知らせたのが、モリナであった。ドイツ農民戦争も、フランスの宗教戦争も、この乖離を最深の根にもっている。

　モリナの内で変貌を遂げた知は、次に取り上げるスアレスの手によって、学問体系的にも信の上位に置かれることになる。

†「婢女」からの脱却

スアレスには、校訂版で全二八巻に及ぶ著作群がある。大まかに分けると、二六巻分は神学

者、スアレスの著述（恩寵など啓示にかかる事柄を扱う「超自然的神学」と、教会法や信徒の生活様式などを扱う「道徳神学」）が占め、第二五、二六の二巻が、哲学者スアレスによる『形而上学討論集』（一五九七年）である。「第一哲学あるいは形而上学の本性」を画定する第一討論から、「仮想的存在者」を扱う第五四討論まで、内容は多岐にわたるが、ここでは、スアレスがこの著作に託した意図がもつ、思想史上の重要性に話を限定しよう。

『形而上学討論集』の内部構造と基本原理を、スアレスは「第一討論」で次のように予告している。

存在、実体、原因、その他これらに類する事柄に関する共通の根拠をあらかじめ把握しておかなければ、神に関する正確で論証的な認識を、形而上学において獲得することはできないであろう。というのも、神の働きの結果を通してでなければ、また、共通の根拠によってでなければ、神を認識することがわれわれにはできないからである。

「存在、実体、原因」といった形而上学の概念を、人間の理性で探りうる「共通の根拠」に基づいて、まず確立する。次に、それらの概念に基づいて、つまりあくまでも自然の水準にとどまって、「神に関する正確で論証的な認識」を獲得する。このようにして獲得される認識は、超自然的神論つまり神学と、どのような関係にあるのだろうか。

『形而上学討論集』の「序言」に、この書の執筆に至った経緯が、スアレスらしからぬ告白調で、おおよそ次のように語られている。「私は、聖なる神学の教えに註解を施す神学講義を担当していたのだが、ある時、その講義を中断せざるをえないことに気がついた。まず、かつて自分がした哲学講義を改めて精査し、展開し、公刊するためである」。

神学を中断してまず哲学に戻るのは、しかし、より完成度の高い神学を後に追究するべく再び神学へ戻るためではなかった。スアレスは、同じ「序言」で次のようにも述べている。「聖なる超自然的神学」は、「人間が駆使する議論と推論によって完成される」のである、と。あるいは、「第一哲学」こそが、「あらゆる学問を、何らかの仕方で支え、維持する」のである、と。「あらゆる学問」には、神学もまた含まれる。スアレスが神学的探究を中断したのは、まず形而上学の枠内で神を認識するためであり、かつ、その認識さえあれば、事足りるからであった。

「自然本性に基づく理性的・哲学的認識は、啓示と恩寵の領域に進んで初めて完全に展開され、同時にその限界も明らかになる。哲学は神学への踏み台として必要ではあるが、最終的には、神学の婢女（はしため）の立場にとどまる」——トマス・アクィナスが定式化して以降、一六世紀まで基本的に保持されてきた考え方である。その考え方を、スアレスは、「第一哲学」ないし「形而上学」に対して、「聖なる超自然的神学」――トマスが『神学大全』で導入した表現――を「完成」させる役目を与えることで、逆転させる。スアレスによれば、哲学を追究する知に、神学へ向かう信は必要ない。完成させる側の完全性は、完成される側の存否に左右されないからである。

なるほど、哲学を神学に従属させる伝統的な立場の表明も『形而上学討論集』には散見されるが、それらに実質が伴っていないことは、モリナに続いて人間の自由を最大化し、反比例的に神のプレゼンスを縮減するスアレスの理論的方針が、雄弁に物語っている。その神が人間世界にもたらす「結果」は、時に、「何らかの悪と不都合が神の内に生じている」のではないかと疑わせ、「ともすれば、神は、憎しみの対象ともなる」(「第一九討論」)。躊躇なくこう表明できたスアレスを「神学者にして哲学者」と呼ぶ場合、その神学者は、「知解し、読み、思弁をことにする」哲学者によって「支え、維持」されることで、辛うじて我が身を保っているような神学者である。

＊

知が、かつての信を放棄するに至るプロセスを、一著に凝縮したのが『コンコルディア』だとすれば、スアレスは、同じプロセスを、神学的著作群から『形而上学討論集』を離脱させる体系的手続きを通して、再度明示する。彼らには彼らなりの信がまちがいなく何か残っていたにせよ、その信は、知を統御する力をすでに失っていた。

こうして乖離を余儀なくされた信と知のさらなるゆくえを、『神の実在、および人間霊魂の身体からの区別を論証する第一哲学に関する諸省察』（通称『省察』）を著した哲学者デカルトのもとに、追跡してゆこう。

3　問題の再構成——デカルト

†神学との関わり

一五九六年、フランスのトゥーレーヌ地方に生まれたデカルトは、八歳からの一〇年間、イエズス会が運営するラ・フレーシュ王立学院で学ぶ。遍歴の歳月を経た後、一六二九年以降はオランダを居所とした。一六四九年に教師として招聘されたストックホルムへ発ち、その翌年に客死。

一七世紀の学問世界になお君臨していた神学は、デカルトの人生と著作にも、数多くの痕跡を残している。彼の背中を哲学へ押したのは、オラトワール会の枢機卿ベリュールだった。未完に終わった『精神指導の規則』（一六二八年）には、信仰の根拠を知性の力で明かそうとする若い野望が窺える。自然学全般を扱う『世界論』公刊の断念は、地動説を説いたガリレオの異端審問（一六三三年）が原因であり、その内容の一部を生かすべく執筆された『方法序説と三試論』（一六三七年）は、スコラ学と手を切る斬新さゆえに、新教側の神学者ヴォエティウスや、イエズス会のブルダン神父らから攻撃を受け、非学問的な「ユトレヒト紛争」にデカルトは晩年まで疲弊を強いられる。主著『省察』（初版一六四一年／第二版一六四二年）は事前に寄せられた反論への答弁を付して公刊されるが、アルノーら神学者の反論に対する答弁は、必然的に、神学と哲学の関係に触れる内容を含むことになる。……

こういった個別の局面ごとに、デカルトは、宗教と神学に関する自分の見解を微調整しながら提示するが、基本的なスタンスは変わらない。『省察』の探究過程を教科書ふうに配列し直した『哲学原理』「第一部」（一六四四年）を締め括る第七六項で、彼はおおよそ次のように述べている。「われわれは、神によって啓示された事柄こそ最も確実であると信じなければならない。もし理性の光が啓示とは異なる何かを明晰かつ明証的に示しているように思われた場合には、自分の判断にではなく、神の権威のほうに、信を置くべきである。しかし、神への信仰が何も教えない事柄に関しては、真であるとみずから洞察していないものを真であるかのように受け入れること以上に、哲学徒にふさわしからぬことはない」。

一人の平信徒として、デカルトはカトリックの教義を受け入れる。「もし」の一文はそのことを強調するだけで、彼は、啓示と理性が矛盾する可能性など、じっさいには想定していない。この第七六項を、デカルト自身、「最高の規則」と呼んでいる。たしかに、『省察』の方法的懐疑に由来する「しかし」以下はもちろん、啓示に言及するくだりにも、嘘は含まれていない。ただし、本心もまた示されてはいない。時代の状況さえ許すなら、「自分は神学に関心を惹かれる人間ではない」という一言で、デカルトには十分だったはずであり、事実、彼は畏友ホイヘンスに向けて、包み隠すところなく、そう語っている(一六四二年一〇月一〇日付書簡)。

宗教の教えるあらゆる事柄を信じようと思い、じっさい堅く信じているのだとみずから思う一方で、人間の自然本性に基づくきわめて明証的な根拠によって確信を得る場合のように強く自分の心を動かされることが、宗教の場合にはもはやないのです。

神学と哲学が隣接してきた長い歴史がある以上、神学に由来するさまざまな語彙や、考えや、問題がデカルトの哲学に浸透してくることは避けがたい。宗教勢力との無用な衝突を回避しようと彼が配慮するのも無理はない。そして、避けがたく、無理はない、という以上の意味を、神学に触れるデカルトの議論や、宗教に対する彼の自己弁明に見出そうとしても、おそらくうまくはゆかない。デカルトが哲学者であって神学者ではないというのは、突き詰めれば、そういうことである。

†信の根拠へ

とはいえ、次のことを思い出す必要がある。アンセルムスの信が悰きに規定されていたのは、信じる心の働きが、彼自身の理知性の統御から外れていたためである。また、モリナとスアレスの知が信を顧みなかったのは、知が独りで走ったその結果でこそあれ、意図しての無視ではないだろう。三者のケースは、信と知の問題が、神学と哲学とを問わず、学知で片付く性質の問題ではない、ということをよく示している。デカルトもまたそのような問題として、信と知の関係を——そうとは意図せず——引き受けることになる。いやむしろ、他のあらゆる思想家と同様に、人の信じる力と知る力が織りなす問題領域に、彼もまた、否応なく巻き込まれることになる。

もう一度、アンセルムスのほうを振り返ろう。神を包括的に理解することはできないという考えが、神の存在証明へと彼を促した。同じ考えが『省察』における神の存在証明でも重要なポイントになるのだが、『哲学原理』には、そのさらに先がある。「第一部」第四一項の後半部分を見てみよう。①神へ向かうこの考えが、②人間の側へ反転し、③新たな展開を見せている。

……①なぜ神が人間の自由な行為を未決定のままに残したのかが分かるほどに、神の能力を包括的に理解することはわれわれにはできないが、②他方で、われわれの内にある自由……に関しては、これほど明証的かつ完全に、また包括的に、われわれが理解できるものは他にない……。③じっさい、その本性上、包括的には理解できない、と分かっているものを包括的に理解しないからといって、われわれがみずからの内奥において包括的に理解し、われわれ自身のもとにおいて経験する事柄まで疑うのは、不合理であろう。

①神の全能性を示す事例は他にも多くあるなかで、デカルトは、神が人間の行為をあらかじめ決定し尽くさなかった理由をあえて選んで挙げたうえで、②そこから反転し、人間の自由を強調する。彼にあえてそうさせたのが、③自分の意志が自由であると感じる「経験」にそなわる強い現実性と、それゆえの不可疑性である。

アンセルムスの場合、罪悪への慄きが経験の実質をなし、その経験が神への信を支え、信じることこそ唯一無二の経験である、と彼に言わしめた。これに対して、第四一項は、そのような経験に対応するのが、デカルトの場合は意志の自由であることを、はっきりと示している。とはいえしかし、意志が信に取って代わったのだという程度の単純な問題ではない。デカルトにおいて、意志は、むしろ、信の根拠ともなる。

どういうことなのか。「信」と「信仰」そして「信じる」という言葉の基本的な用法を手がかりに、考察を続けよう。

†意志による信

ラテン語にもフランス語にも、宗教上の「信」すなわち「信仰」を意味する名詞はあるが（ラテン語：fides、フランス語：foi）、「信じる」という動詞に宗教的意味だけを担うものはない。「思う」を広く意味する一般的な動詞が、文脈に応じて、「神を信じる」という意味になる。当然、信の対象となる「〜を」の「〜」にはさまざまなものが入りうる。このさい、神学者なら、「神を信じるのと、あの男の言葉を信じるのでは、信の質がまったく違う。信じる対象が完全に違うのだから」と言うだろう。他方、デカルトは、「どちらも信じることであり、違いはない」と答えるはずである。なぜ、違いはないと言えるのか。信じるという精神の働きが、意志の働きに他ならないからである。『省察』への「第五反論に関する書簡」のなかで、神によって啓示された真理を人間が信じるに至る心理機制を、デカルトは次のように説明している。

> 信仰に関わる真理についても、それが神によって啓示されたものであることを確信させる何らかの根拠をわれわれはまず覚知しているはずであり、そのうえで、われわれは、その真理

を、みずから信じようとするのである。

説明の前半によれば、「この真理は神の啓示による」という確信が生ずるのは、確信を生む根拠を人間の側が最初に摑んでいるからである。後半によれば、その真理を、人間は、「みずから信じようとする」。ここは「信じることにみずから決める」が直訳で、「みずから決める」は、デカルトが意志の働きを語るさいに用いる表現である。したがって、「みずから信じようとする」は、「みずからの意志によって信じようとする」ということである。また、出だしの「も」は、人間が真理を把握し、それを肯定するに至るプロセス――事柄の根拠を知性が覚知し、すなわちその根拠の真理性を確信し、その真理を、意志が肯定する――と同じプロセスが、「信仰の真理についても」認められる、という含みをもっている。

この「も」に関連して、デカルトは、神学者たちへの「第二答弁」で、次のように述べていた。

> 明晰性、言うならば、分明性――それによって、われわれの意志は同意することへと動かされうる――には二重の意味がある。すなわち、一方は自然の光によるものであり、もう一方は、神の恩寵によるものである。

人間がみずから得る認識は、そこに自然の光、すなわち理性の光が差し込むことで、明晰になる。神が与える恩寵は、無条件に明晰である。いずれにしても、この明晰性が、意志を、獲得された認識に、あるいは恩寵に、同意するよう促す。「同意する」は、認識の場合「肯定する」の意味であり、恩寵の場合は「受け取る」の意味である。デカルトの考えでは、意志が明晰な認識を肯定しない、あるいは恩寵を受け取らない、ということは起こらない。それでも、肯定と受領は、人間がみずからの意志ですることなのである。

デカルトの精神のまなざしは、みずからの内にある意志の働きそのものへ、この働きが関わる先（神か、明晰な認識か）を度外視して、まっすぐに向けられている。だからこそ、彼の精神は、意志の働きに伴うリアリティを他に何も雑えることなく、感じ取る。その意志が、知と対立的な関係に入ることは、先ほど確認した、知性による根拠の覚知から意志による真理の肯定へ、というプロセスが示す通り、基本的にない。そのような意志が信の根拠として働いている以上、信と知を二項対立的に捉える必要もない。このようにして、信と知という伝統的な問題をフォーマットもろとも再構成し、信を神学の領域から外に――「経験」という言葉で指示される一般的な領野に――、デカルトは引き出した。

†結びに代えて――「経験」のゆくえ

意志による信。デカルトのもとに現れた、このような信の姿に含まれている問題を、その所在のみ手短に示して、本章の結びに代えたいと思う。

みずからの意志で信じるということは、文字面を裏返せば、信じないこともできる、ということである。そうだとすれば、結局のところデカルトは、モリナ（「悪をなす自由」）やスアレス（「神も憎しみの対象となる」）が生み出した、いわば過剰な自由意志論の継承者である、ということになるのではないか……。一〇〇年を超えるデカルト研究史を通じていく度も繰り返されてきたこの問題に関しては、けっしてそうはならない、と述べるだけにしよう。むしろ、カノンを標準として争われる神学上の正統と異端、そして無神論の問題よりも、ある意味で、はるかに恐ろしい問題がある。

信の根拠をみずからの意志に限定するとは、とりもなおさず、信じるにあたって、自分以外の誰（神）も、何（教会や教義）も、頼りにしないということである。すなわち、意志による信は、まず宗教的な信仰の依拠する先を拒んだうえで、それでもなお成り立とうとするような信である。それならばやはり、無神論の問題ではないか？――そうではない。デカルトは、「経験」という一般的な領野に信を引き出した。依拠してはならない「誰」は、まず神であっても、神だけには限られない。「何」は、まず教会や教義であっても、これらだけには限られない。依拠してならないものには、いっさいの権威その他、「最高の規則」中の表現を借りれば、いっさいの「真であるとみずから洞察していないもの」が含まれる。

はたして、意志による信に従い、みずからを孤立無援の状態に置くことに、怯まず、また慄かずにいることが、人にはできるのだろうか。デカルト自身は、幼少来受け入れてきた知識をすべてご破算にして、「最初の土台から改めて始めなければならない」(「第一省察」)と決意する以前のどこかの時点で、怯みも慄きも握りつぶしていただろう。しかし、他の人々はどうなのか。デカルトは、不遇をかこつプファルツ家の公女エリザベートに対して、次のように語る(一六四五年一一月三日付書簡)。

神の存在を認識することで、私たちには自由な意志が具わっているということに対する確信を乱すべきではありません。私たちは、意志の自由をみずからの内において経験し、感じ取っているのですから。

内容だけ見れば、『哲学原理』「第一部」第四一項と基本的に変わらない。しかし、言葉というのは、眼前の個人に差し出されるとき、一般論にはない恐ろしさを発揮するものである。右の「確信」は、いっさいの知的権威を拒む覚悟を前提とする確信である。そのことに、エリザベートは気づいていなかった。気づいてしまったとき、彼女自身、かつて慄きを退けたデカルトのように、自分もまた退けるか否かの岐路に立たされる。自分の言葉が眼前の相手にそうした決断を迫る可能性を含んでいることを知りつつ、デカルトは語ったのだろうか。あるいは、相手がこの可能性を感知することはないだろうと予測していたからこそ、語ることができたのか。自分の語る「経験」が、他の人々と彼自身を連れてゆく先を、そして信と知が、後の世界において示すさまざまな関係を、デカルトはどこまで見通していたのだろうか。——答えは、保留しておこう。

さらに詳しく知るための参考文献

クラウス・リーゼンフーバー『中世思想史』(平凡社ライブラリー、二〇〇三年)……神学と哲学の関係を考えるさいには、やはり中世思想史の全体像を思い浮かべられるようになるほうがよい。本書は、複雑な概念史を解読することよりも、信と知の関係の変遷を大きく示すことに重点を置いているため、通読にも向いている。

速水敬二『ルネッサンス期の哲学』(筑摩叢書、一九六七年)……刊行年はかなり以前だが、記述は古びた印象を残さない。とりわけ、右の『中世思想史』では記述の薄い一六世紀の宗教をめぐる思想状況(第二章)に関しては、詳しすぎず、粗すぎず、今日なお最もバランスの取れた哲学史書のひとつであると思う。

アンセルムス『アンセルムス全集』（古田暁訳、聖文舎、一九八〇年）……アンセルムスの主要著作を一巻に収めた偉業。翻訳水準の高さ、各著作に付された解説の的確さ、時代状況とアンセルムスの思想ならびに現実社会における活動とを組み合わせた巻末解説の豊かさ、すべての面で、アンセルムスに関心を寄せる人にとっては他に代えがたい情報源である。

大西克智『意志と自由——一つの系譜学』（知泉書館、二〇一四年）……本章の執筆者によるもので憚られるが、モリナとスアレスの思想を日本語で詳しく論じた書物が他にないため、掲げておく。全体としては、アウグスティヌスからデカルトへ至る自由意志論の系譜を、「悪」の概念に着目しながら再構成することを目的としている。

コラム3　活版印刷術と西洋哲学

安形麻理

一四五五年頃にドイツのマインツでヨハネス・グーテンベルクが発明した活版印刷術は、書物の大量生産への道を開き、情報・知識の流通のあり方を変え、西欧近代社会の成立に大きな影響を与えた。「印刷革命」と呼ばれる所以である。活版印刷術の発明は高麗が先行したが、東洋では印刷の主流はその後も長く整版印刷で、西洋ほどの社会的影響をもたらすことはなかった。一つの母型から同じ形の金属活字を大量に鋳造し、その活字を一文字ずつ組み合わせ繰り返し使う利点は、アルファベット文化圏において大きい。活版印刷術は五〇年足らずの間にヨーロッパのほぼ全域に普及し、一五世紀末までに四万版——ただし同じ作品が何版も出版された——、二〇〇〇万部ほどが印刷されたと推定されている。

活版印刷術の登場がギリシア・ローマ哲学の西欧における発展に重要な役割を果たしたことは疑いえない。アリストテレス哲学は、西欧中世においてはボエティウスの著作を通じて知られるのみであったが、一二世紀にイスラーム世界を経由し西欧にもたらされ、人文主義者によってラテン語へ翻訳されていた。印刷術は、そうした翻訳や校訂の成果の入手を、写本時代より格段に容易にした。

一五世紀の印刷本の総合目録 Incunabula Short Title Catalogue によると、アリストテレスの著作は一五世紀に一七五版が刊行された。その多くはラテン語版で、ギリシア語版はヴェネツィアのアルドー・マヌーツィオが出版した一版のみである。マヌーツィオは学匠印刷家と呼ばれる人文主義印刷業者で、読みやすいギリシア語活字を完成させ、ギリシア古典作品の出版に熱心に取り組んだ。貿易都市ヴェネツィアは当時最大の出版都市でもあり、一四五三年の東ローマ帝国崩壊後には多くのギリシア人が亡命していた。

続く一六世紀に印刷された、哲学を主題とする書物を書誌データベース Universal Short Title Catalogue で調べると、四五五〇版が登録されており、その三割弱がイタリア（うち半数以上はヴェネツィア）、二割強がフランス（うち半数以上はパリ）で印刷されている。著者別ではアリストテレスが八三三版と最も多く、エラスムス一三九版、ボエティウス一三四版、アントニオ・デ・ゲバラ一二八版、トマス・アクィナス一二〇版と続く。ギリシア・ローマ哲学やスコラ哲学、同時代の人文主義者の著作など幅広い。

この間に書物には標題紙やページ付けが一般的となり、目次や索引などの参照ツールが付加され、活字体もゴシック体にかわりローマン体が主流となっていった。書物の物理的特徴と読者の期待や読み方は影響しあう。哲学の著作の内容に加え、そのメディアの具体的な物理的特徴を検討することも一つの観点として有効だろう。

コラム4　ルネサンスとオカルト思想

伊藤博明

ジョヴァンニ・ピーコ・デッラ・ミランドラ（一四六三〜一四九四）の人間論は、イタリア・ルネサンスを代表するものとして名高い。彼は人間を、神によってあらかじめ定まった地位と本性が与えられていない存在と考え、人間の尊厳の根拠を、自らの地位と本性を自由意志によって選び取る点に求めている。

ピーコが、このような人間の例として言及しているのがマグスである。彼によれば、魔術（マギア）とは、本来はマグスというゾロアスター教の祭司階級が所有する最高の知恵なのであり、きわめて深い神秘に満ちており、最も秘儀的なものの観照と全自然の認識をもたらすものである。それはこの世界にひそむ諸力を呼び出すことによって、驚くべき業を行うよりも、むしろ自然に仕えるのであり、この意味で自然魔術と呼ばれる。

アグリッパ・フォン・ネッテスハイム（一四八六〜一五三五）は『オカルト哲学』において、ピーコの議論を発展させている。彼によれば、自然魔術は、自然的事象と天界的事象のすべての力について熟考し、その秩序を注意深く探究し、下位の事物と上位の事物の照応の中に自然の隠された（オカルト）力を認識することである。こうして、信じがたい奇跡が、人間の技術ではなく自然によってしばしば惹き起こされる。

アグリッパが説く魔術とは、聖者による奇蹟、悪魔による妖術、あるいは自然法則の違反などではなく、自然界の諸事物と諸力についての深遠な解明を意味しており、ピーコの表現では「自然哲学の完成」であった。この見解はルネサンス期に魔術に関心を抱いていた思想家すべてに共通に見られるものである。

ジャンバッティスタ・デッラ・ポルタ（一五三八～一六一五）は、魔術的操作の実際的な具現化について高く評価していたが、一方で呪文のような操作は批判している。魔術的操作は奇跡的に見えようとも、自然の限界をけっして超えるものではなく、観察者はそのことを十分に理解していなければならない。魔術は世界に働きかける実践的活動であり、火薬や印刷などの発明も、それが理解され、共通の知識となるまでは魔術と見られていたのである。

イギリス経験論の祖とされるフランシス・ベイコン（一五六一～一六二六）の技術観も、これらルネサンスの魔術論を受け継いでいる。彼によれば、魔術とは、隠された形相の知識を驚くべき操作に適用し、能動的なものを受動的なものに結合して、自然の驚くべき仕事を明らかにする学問である。彼は、魔術の伝統から、自然の下僕としてその操作を援助し、ひそかにかつ巧妙に、自然を人間の支配に服従させるという着想、そしてまた、力としての知識の観念（「知は力なり」）を獲得したのである。

リスチャニア
スウェーデン王国
ストックホルム
ルウェー
国
デンマーク
バルト海
ロシア帝国
ポーランド王国
プロイセン
ブランデンブルク
ベルリン
ワルシャワ
神聖ローマ帝国
ハンガリー王国
ウィーン
オーストリア
ブダ
ヴェネツィア
ヴェネツィア共和国
黒海
教皇領
ェノヴァ
和国
オスマン帝国
コンスタンティノポリス
ローマ
ナポリ
ナポリ王国
レパント

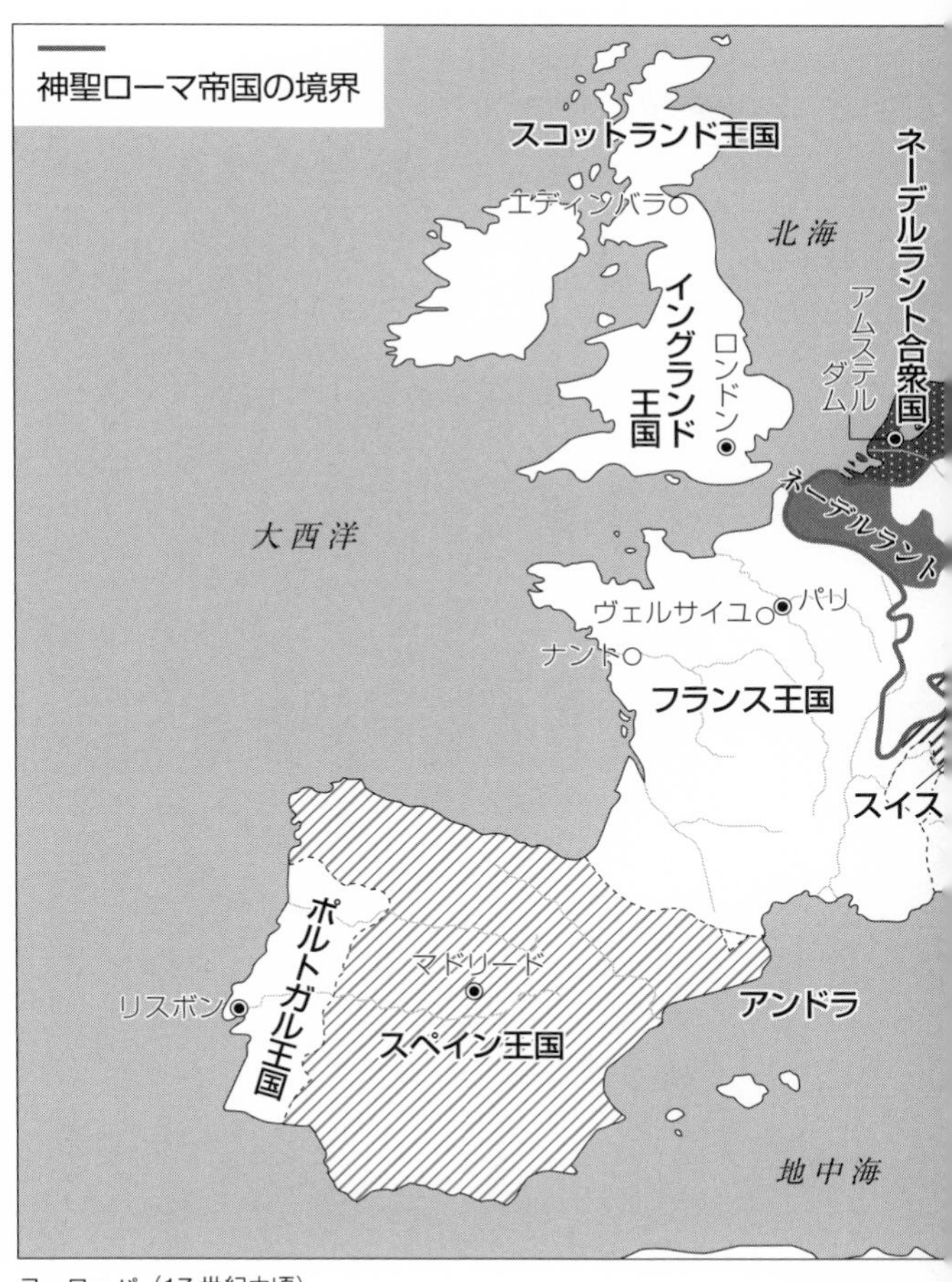

ヨーロッパ（17 世紀中頃）

第7章 ポスト・デカルトの科学論と方法論

池田真治

1 バロック的方法の時代

†はじめに

一七〜一八世紀のヨーロッパは、芸術や建築の観点ではバロック時代、歴史学的には「近世」ないし「初期近代」に区分される。哲学では、ルネサンス以降の科学革命や宗教革命が行われた一六世紀から、啓蒙主義やカントが登場する一八世紀後半までを一括りとする場合が多く、フランスでは「古典期（l'âge classique）」という呼称が定着している。まさにこの時期に、デカルトからカントまでの近代哲学の古典的著作群が登場するからである。この時代は、それまでの伝統的哲学の限界が露呈した時代でもある。スコラ哲学に代わり、新興の科学と結びつくことで、精神と自然を含む宇宙を人間理性の観点から抜本的に捉え直そうとする新しい哲学が興隆した。それは、自我ないし主体の問題が、世界ないし客体の理解の根源にあるとする、いわゆる近代哲学の夜明けである。

この時代にはまだ現代でいう「科学」という言葉はなかった。実験・観察や数学的方法を用いて自然を探究する学は、「自然学（physica）」ないし「自然哲学」と呼ばれ、それらはしばしば「哲学」と同義である。ラテン語のスキエンティアを語源とするサイエンスが「科学」の意味をもつのは、一九世紀後半になってからだ。実際、一七世紀の科学者は自らを「哲学者」と称している。したがって本章では科学論ということで、広義には学問論ないし知識論、狭義には個別の自然哲学や自然観を意味するものとする。

本章では、古典期における科学論と方法論ということで、ポスト・デカルト世代に当たるトマス・ホッブズ（一五八八〜一六七九）、バールーフ〔ベネディクトゥス〕・デ・スピノザ（一六三二〜一六七七）、ゴットフリート・ヴィルヘルム・ライプニッツの数学的方法論と機械論的自然観に注目する。機械論とは、物理現象を物体の形・大きさ・運動に還元して数学的に説明する学である。彼らはデカルトの数学的方法に大きな影響を受け、数学を確実な知識を獲得するモデルとする方法論を採用している点で共通している。また自然観に関しても、伝統的なスコラの自然哲学から離れ、デカルトから機械論的自然観を直接的ないし間接的に継承し、「コナトゥス」（「努力」ないし「傾動」と訳される）という力学的概念を自らの哲学体系に取り入れ根本原理とした点でも共通している。ところが、各々の哲学体系は、それぞれ独自の異なる立場を表明している。そこで本章では、まず彼らの思想的文脈を確認するため、スコラの学問方法論の限界と、それを浮き彫りにしたデカルト以降の新しい哲学の方法論を素描する。それから、ホッブズ、スピノザ、ライプニッツの方法論と自然観をそれぞれ概説する。

†スコラ哲学の限界と新しい方法

「新しい」方法や学問を彼らが自ら提唱したのは、一つにはそれまでのスコラ哲学の方法や学説に限界を見たからである。当時学校で用いられた教科書『コインブラ注解』を参照してみると、アリストテレスのテキストとその注解で埋め尽くされているのを見ることができるだろう。しかし一七世紀においては、すでにいくつもの「新しい方法」の萌芽があり、イタリア・ルネサンスで開花した新しい代数学がすでに知られていた。たとえば、若きデカルトはクリストファー・クラヴィウス（一五三八～一六一二）の『代数学』（一六〇八年）をラフレーシュ学院で学んだとされる。またスコラ的方法を放棄して以降、オランダ滞在時にはイサーク・ベークマン（一五八八～一六三七）と数学・自然学の共同研究を行い、さらにドイツ旅行に際し当地最新の数学を勉強した。こうした新しい学の洗礼を受けた若き哲学者が、それまでのいわば思弁的で、実験的検証がもつ実在性にも、数学的論証がもつ厳密性にも耐えないスコラの哲学教育に批判的になったのは、想像に難くない。学的知識として、単なる思弁的ではない、経験的ないし数学的な確実性が求められたのである。デカルトもスピノザも、ペリパトス派の哲学、すなわちアリストテレス－スコラの哲学が、確実な論証による方法に基づいていないと認識していた。

またフランシス・ベイコン（一五六一～一六二六）は『ノヴム・オルガヌム』（一六二〇年）で、アリストテレスの自然哲学が理屈ばかりのほとんど役に立たない学問だと批判した。ベイコンは少数の実験や観察だけから結論を出すこれまでの化学も批判し、真の哲学として「帰納法」に基づいた、「経験的能力と理性的能力とのあいだの、いつまでも変わらない真に合法的な婚姻」を提唱する。実際、新しい実験的方法や数学的論証には、伝統的な論理学の三段論法では扱えないタイプの論証があった。たとえば、経験的な帰納法や、原理ないし仮説の形成とそれらの数学的検証、および代数方程式を含む解析ないし発見術である。新しい諸科学の黎明によって、スコラ的学問方法の限界がさらされ始めたのである。

†バロックは「方法の時代」か？

一七世紀はしばしば「方法の時代」と言われる。確かに、バロック時代には新しい方法を取り入れた新しい学が誕生したが、「科学革命」や「数学革命」と同様、こうした一般化は危険を伴う。というのも、すでにバロック以前から新しい方法の萌芽は見られるからである。中世におけるアラビア数学の流入や、ルネサンスにおけるギリシア数学・科学の方法や古代懐疑論の復興、そしてイエズス会内部での学問論における数学の位置付けをめぐる数学の確実性論争がなければ、デカルト以降、数学がかくも学問の中心的方法となることはなかったであろう。

ただ中世やルネサンスに懐胎していたとはいえ、バロック時代は方法が極めて重視された時代であることも確かである。特に一七世紀は、伝統的なスコラ学や特殊な解法・実験に限定された諸々の「術」がある限界に達し、より普遍的でより応用範囲の広い新たな「方法」が探究された時代である。たとえば、自然哲学に関しては少なくとも二つの方法がある。一つは、錬金術や魔術から発展したもので、ベイコンの経験的帰納法およびロバート・ボイル（一六二七〜一六九一）らに継承される実験・観察をその主要な方法とする実験哲学。もう一つは、伝統的な幾何学や算術という従来の純粋数学の部門に新しく加わった、代数学や解析といった新しい数学的方法を、運動論をはじめとする自然現象の機械論的探究に応用した数学的自然学（ガリレオ、デカルトら）。ほかにも、ニュートンの無限小の方法や、ライプニッツの普遍的記号法など、「新しい方法」を主題とする著作は枚挙にいとまがない。その意味で一七世紀は、旧来の学問方法が新しいそれへととって代わる「〈新しい〉方法の時代」と呼んでもよいだろう。

この〈バロック的〉方法の時代を導いたのは、人間はみな理性をもつが、もしその理性を正しく導くことができるならば、自然を正しく認識することができる、という信条である。逆に、もし方法を欠くならば、真理を探究しようなどと考えるべきではない（デカルト『精神指導の規則』規則四）。また、人間は正しい方法を欠いているがために正道から逸れてしまう（ホッブズ『物体論』第一章第一節）。かくして、方法が個別の諸学に先立ち、その方法をアリアドネの糸として、各哲学者が体系的な哲学を構築していくことになる。ベイコンやデカルト以降の哲学者たちは、真なる認識を得るためには、何よりも精神を正しく導く方法がなければならないとして方法を重視した。とりわけ一七世紀に特徴的なのは、諸学の体系的連関を可能にする、一般的・普遍的な方法の探究である。

その中で、数学的方法がその哲学において主要な位置を占めている哲学者たちがいたことも事実である。デカルトは自らの解析幾何学あるいは比例論から方法を抽出し、それをより一般的な方法に仕立て上げた。デカルトと同時代のホッブズや後の世代のスピノザにおいては、その哲学に幾何学的な方法が採用され、そこから諸定理が演繹されるところの原理や定義が重要な位置を占めるようになる。さらにその後の世代のライプニッツは、彼らから大きな影響を受け、より普遍的な方法を探究する。そこでも、公理や定義から厳密な論証によって命題を導くというあり方が、知の規範となっていることに変わりはない。そこで以下では、実験哲学の方法に対し、なぜ彼らが数学的方法を重視したのかという側面に注目しつつ、ホッブズ、スピノザ、ライプニッツの方法論と自然観を見ていこう。

2 ホッブズの方法と自然哲学

ホッブズの自然哲学は、彼の政治哲学ほど知られてはいないが、同時代の哲学者に大きな影響を与え、またその政治哲学の原理的部分を形成する点で、もっと注目すべきものである。ホッブズはボイルと空気ポンプをめぐり争い、真空の存在に対しても懐疑的だった。そしてホッブズは原理的考察と理性的推論を重視し、ボイルら実験的方法で知識を獲得できるとみなす実験哲学者を批判した。パリのメルセンヌ・サークルとも繋がっており、マラン・メルセンヌ（一五八八〜一六四八）自身を含め、ピエール・ガッサンディ（一五九二〜一六五五）やジル・ペルソンヌ・ド・ロベルヴァル（一六〇二〜一六七五）、それから英国から出ていたトマス・ホワイト（一五九三〜一六七六）やケネルム・ディグビー（一六〇三〜一六六五）らと自然哲学をめぐり交流した。とりわけ有名なのは、メルセンヌを介してデカルトと『省察』をめぐり論争したことである。またホッブズは方法論や数学理論、とりわけ運動論や無限小の概念をめぐって数学者のジョン・ウォリス（一六一六〜一七〇三）とも論争した。ホッブズにはボイルやウォリスをはじめ、ロンドン王立協会に多くの論敵がいたが、その政治的・宗教的立場も危険視され、決して王立協会のフェローになることはなく、協会からも除外された。ホッブズの自然哲学は、ガリレオやデカルト、ボイルが達したほどの名声を得たわけではないが、スピノザとライプニッツの哲学の核心的部分に影響を与えた点で、哲学史的に極めて重要である。

†ホッブズのガリレオ崇拝

ホッブズは一時期ベイコンの秘書をしていたが、その帰納主義には感銘を受けなかった。むしろ、最初の真の自然学者としてガリレオ(一五六四~一六四二)を崇拝した。『哲学原論』の第一部『物体論』(一六五五年)では、人間身体についての新しい学説を確立したウィリアム・ハーヴェイ(一五七八~一六五七)とともに、一般的自然学への最初の門すなわち運動の本性への道を拓いたとしてガリレオを高く評価する。また、若いときにトマス・ホワイトの『宇宙論』を批判する包括的な自然学(生前は未出版)を書いたが、そこでもガリレオを全時代通じて最大の哲学者と賞賛している。イタリア旅行の際にはガリレオ本人を訪ねてもいる。

またホッブズは、哲学は宇宙という書物に語られており、それは数学の言語で書かれていて、数学がなければ暗い迷宮をさまようとする、ガリレオの数学的世界像を支持した。そして、ガリレオの運動論の影響で、あらゆる現象が物体の運動から生じると考えた。ホッブズが数学に目覚め幾何学研究に着手したのは四〇歳と遅かったが、エウクレイデス『原論』の確実にして真なる総合的論証法に心を奪われた。そして、自然界における観察可能な変化や感覚経験もすべて、運動の結果だと考えた。こうして『物体論』で、「自然哲学を問題にする人々は、問うことの端緒を幾何学から借りてくるのでなければ、問いをたてても無意味である」と明確な幾何学主義を表明する。哲学において、デカルトが確実な原理の確立を目的とする分析的方法を特徴としたのに対し、ホッブズの方法が原理からの総合的方法を特徴とするのはこの影響である。ただし『原論』の内容に関しては、点の定義を中心に、自らの唯物論的観点から痛烈な批判を与えている。

しかし、原理や方法の観点では、ホッブズはガリレオと異なる部分もある。「ホッブズの計画は、伝統的なアリストテレス哲学を、その基礎において、ガリレオ流の科学的カテゴリーによって完全にやり直すものとしてみることができる。しかし同時に、運動の数学的自然学に関するガリレオの計画は、ホッブズのそれとは根本的に異なる」(ダニエル・ガーバー)。ガリレオが混合数学として自然哲学を遂行するのに対して、ホッブズはアリストテレス的な意味で真の自然哲学を示そうとする。つまり、第一原因に究極的に根拠づけられた仕方で世界の現象を説明しようとする。しかし、ホッブズが究極的原因を見たのは、スコラ哲学の素材(質料)や形相ないし欠如ではなく、運動している物体そのものであった。

†ホッブズの哲学と方法

ホッブズの計画は、彼の「哲学」の定義に遡る。『リヴァイアサン』(一六五一年)では、哲学は「科学、すなわち諸帰結についての知識」の言い換えである。より厳密な定義は『物体論』にある。

哲学とは、諸々の結果ないし現象の知得された原因ないし発生の仕方から正しい推論によって獲得された、これらの結果ないし現象の認識、およびこれと反対に、認識された諸々の結果から正しい推論によって獲得された、ありうる発生の仕方の認識である。(『物体論』第一章第二節)

この哲学の定義から哲学の方法が導かれる。すなわち、哲学する方法とは「既知の原因による、諸結果のごく簡便な探究、もしくは既知の結果による、諸原因のごく簡便な探究」である。知識とは原因についての認識である。原因についての認識は推論から成る。推論は合成と分割(分解)から成る(『物体論』第六章)。推論はまた、四則演算の計算としても捉えられる。実際、ホッブズにとって運動論は、物体が占める空間と時間の部分‐全体関係について、その合成と分解を推理計算する学である。こうして、哲学の要件は、原因から結果の認識が正しい推論によって獲得されていることである。したがって、感覚や想像・記憶など他の認識は哲学ではないし、予見もまた哲学ではない。ホッブズは、情念よりも理性に基づいて原理的基盤から自然法上の諸真理を打ち立てようとする(『法の原理』一六四〇年)。またホッブズは、「すべての人は生まれつき同じように推理し、彼らが良い原理をもった場合には良く推理する」として、理性的推論の能力がすべての人に生得的に備わっているとみなす(『リヴァイアサン』第五章)。

ホッブズにとって哲学の主題は物体だ。したがって、物体を主題としない神学は哲学から排除される。「哲学は天使についての学説や、物体とも物体の状態ともみなされないようなあらゆる物事についての学説も含まない」からである(『物体論』第一章第八節)。また、哲学は歴史も含まない。歴史は哲学にとって極めて有用だが、歴史は経験か権威かであって、推論ではないからである。このように、ホッブズ哲学の唯一の対象は物体であり、唯一の方法は推論すなわち計算にほかならない。したがって、推論の余地がない経験・権威・信仰による認識は哲学には含まれない。

ホッブズの方法と体系に本質的なのは「定義論」である。ホッブズは、発見された原理から知識が形成される仕方を描く。それは、普遍的なものとその原因の認識から出発し、それらの定義の知得がなされ、普遍的なものの発生ないし記述というステップをとる。哲学は定義から始まる。そして、普遍的な定義に最も近い事柄から最初に論証しなければならない。それは第一哲学と呼ばれる部分で、そこに幾何学が存するところの、単なる運動を通じて論証されうる。こうして、運動についての一般的真理は幾何学の定理と等しく、定義から直接的に導かれるものとみなされた。実際、ホッブズは彼の自然哲学の計画を、その第一哲学において、空間・時間・物体・運動の定義によって始めるのである。

†ホッブズの反デカルト主義

ホッブズはガリレオを崇拝する一方で、強力な反デカルト主義者であった。しかし、その崇拝にもかかわらず、ホッブズの自然哲学はガリレオの計画から離れ、皮肉にもデカルトの計画へと接近する。

デカルトの『哲学原理』とホッブズの『物体論』の類似性は際立っている。ガリレオとは対照的に、デカルトもホッブズも原理すなわち究極原因の観点から自然を説明するアリストテレスの方法にしたがう。つまり、彼らは原因を機械論的なものに置き換えたが、究極原因に基づく自然の説明というかたちで、依然としてアリストテレス的な学問論の様式を採用するのである。また、ホッブズとデカルトにとって、物理世界は物体とその運動のみを含み、物体は延長の観点から理解される。両者は、自然現象を物体の大きさ、形、運動に還元する機械論哲学をとる。彼らは自らの計画を、物理世界の構成要素に関する一般的な定義から始める（物体や空間の定義、空虚の否定、運動の定義、運動法則など）。一般的な定義と命題の後、特殊な現象の説明に向かうのも同じである。

しかし、様々なところで両者の意見が食い違うのも事実である。ホッブズは、神と世界の創造についてのデカルトの考えは、哲学を越えるもので神学だと批判する。デカルトの自然哲学の体系では、運動法則や数学的真理を含む永遠真理を神の創造とし、また運動を含む物理世界の存続を神による連続創造に基づけるなど、神が数学的自然学の基礎づけにおいて決定的な役割を演じる。ホッブズも、神が世界の超越的な第一原因であることを否定しない。しかし、ホッブズの物理世界のうちにおいては、神はいかなる直接的な役割も演じず、神学は哲学から明示的に排除される。

また、デカルトが心身二元論者であるのに対し、ホッブズは古典期を代表する唯物論者・唯名論者である。ホッブズはあらゆる変化が物理運動の結果だとする。精神の内的変化も例外ではない。つまり、心理現象は物質的変化にほかならない。ホッブズは、物体の表象にすぎない思考や感情それ自体を物質的なものとみなすわけではないが、その原因は物質的なものにかぎられるとする。ホッブズはデカルトの『省察』への第三反論で、思惟する事物を物体にとどめる。デカルトは「私は思惟する」（コギト）という命題の知から「私は存在する」という命題を導いた。これに対しホッブズは、「私は思惟する」という命題の知は、思惟（作用）を思惟する物質から分離しえないのであって、思惟する事物は非物質的ではなく物質的である、と主張する。無論、デカルトは、思惟する事物が物質的であることを認めないし、思惟の基体が物体という視点のもとでのみ理解されるとは考えない。デカルトは、思惟が思惟する事物なしにはありえないことを認めるが、デカルトにとって思惟する事物とは「精神」にほかならない。

　ホッブズにとって、精神活動もまた運動にほかならず、思考や意欲など精神活動一般は人間身体内部で起こる小さな端緒的運動に由来する。また人間は、何よりもまず一個の身体として他の諸事物のあいだに物理的に存在するものである。意志も、この身体との関係で捉えられる。身体は他の物体と同様、外的障害が不在の場合に自由である。身体運動の微細な端緒が「努力」（コナトゥス）ないし「想像」である。「努力とは、明示によって決定されたり数によって指定されたりする空間・時間よりも小さい空間と時間をつうじての運動」、つまり、「点にわたっての瞬間における運動である」（『物体論』第一五章第二節）。すなわち、努力とは、歩いたり話したりなど、可視的な意志的行為のはじまりを構成する、身体内の極めて微小な運動である（『リヴァイアサン』第六章）。他方で想像は、身体内部における一種の「推理計算」という形で継起する。またホッブズにとって意志的行為は必然的に生じる。したがって「自由意志」はなく、行為が終結していないうちはまだ選択の自由がありうるという意味にかぎって、自由がある。

このように、ホッブズはガリレオから物体の運動に基づく数学的世界像を、そしてデカルトから原理に基づく哲学体系を継承し、運動の要素をコナトゥスとする唯物論的自然観を描くのである。

3　スピノザの方法と自然哲学

†スピノザの科学的探究

スピノザは「神を自然から離して考えていない」（オルデンバーグ宛書簡、一六六二年）。こう述べたとしても、彼の方法論や自然哲学が神に依存した神学的なものであるというわけではない。むしろ逆に、自然探究こそ神の本性の直観的認識を得る唯一の手段となる。スピノザは、すべてのことは自然の法則（すなわち神）にしたがうという自然観をもつ。そこには人為と自然の事象的区別はない（『エチカ』第三部序言）。もし区別があるとしたら、単なる思考上の区別のみである。

スピノザにとって、人間がその学問によって獲得を目的とする本性ないし最高善は、「精神と自然との合一の認識」、すなわち「精神が最も完全に自然を再現すること」である（『知性改善論』）。幸福とはこの認識の獲得に努力することを言い、それは神を知りかつ愛することと同義である。完全性に到達するための最上の知覚様式は、「事物が全くその本質のみによって、あるいは、その最も近い原因の認識によって知覚される場合」である。これは『エチカ』での直観的認識に相当する。精神と神すなわち自然との合一という究極目的は、心身二元論をとるデカルト以上に、機械論的自然観を徹底することを要求する。実際スピノザにおいて、精神を司る思惟および物質を司る延長は、究極的には同じ一つの実体である神に備わる、無限の属性のうちの二属性にすぎない。スピノザは根本的には一元論者なのである。

スピノザのテーゼとして有名な「神即自然」は、『エチカ』第四部に一度だけ登場する。「自然」は、自然の世界を生み出している力そのものを指す。つまり、スピノザにとって自然とは、同じ法則に隅々まで支配された一つの、ただ一つの世界のことである。したがって、自然法則にしたがわないものは世界に存在しない。自然の普遍的法則によってすべてが決定されるという世界観は、『エチカ』に先立って書かれた『デカルトの哲学原理』（一六六三年）や、『神学・政治論』（一六七〇年）でも表明されている。

唯一神を奉じている点では、ユダヤ、キリスト、イスラームの神と共通しているが、スピノザは自然のうちに奇跡を認めない。奇跡とは神が自然の法則を捻じ曲げることだが、スピノザにとって自然の法則は神の法則なので、奇跡を起こせば神は自らに矛盾する（『神学・政治論』第六章三節）。スピノザの神は、自らの力を誇示するために奇跡を必要としない。むしろ神の力は、いつもすでに、自然の世界を成立させている法則そのものに表れている。スピノザの哲学は、人格神に頼らない世界理解・人間理解に基づいており、機械論的な世界理解と人間理解とのあいだにまったき親和性を見ているのである。

自然の科学的探究こそ真理認識への道であり、さらにそれが人間の幸福にもつながるとするスピノザの哲学は、世界に関するわれわれの認識を大きく変革する活力をもつ。その影響は、その後のフランス唯物論やドイツ観念論などの哲学にかぎられず、政治や社会・宗教思想そして現代科学にも及んでいる。

スピノザ自身の科学的探究は、光学や運動論、科学方法論に及ぶが、それらを包括する明確な科学論があるわけではない。また、遺稿となった主著『エチカ』では幾何学的方法を応用したが、スピノザは数学者ではない。当時評判の高かった光学レンズに関する研究を除けば、数学・自然科学の歴史に残るような特筆すべき貢献を彼がしたわけではない。しかしスピノザは、最新の学問の発展に関心をもち、当代一流の数学者や自然哲学者たちと書簡や面会で交流している。たとえば、王立協会の秘書ヘンリー・オルデンバーグ（一六一九〜七七）や、彼を介してボイルらとも交流し、最新の自然哲学の情報を得ていた。その往復書簡からは、スピノザが当時の自然哲学にも通じていたことが窺える。ライプニッツとも光学レンズをめぐり書簡を交わし、スピノザ晩年の一六七六年には運命的な会合を果たしている。

†『知性改善論』における真の方法の探究

スピノザは「方法」と「哲学」を明確に区別する。後者は原因や原理、真理ないし真の観念を探究するのに対し、前者は原理や真理が秩序正しく求められるようにわれわれを指導する。

では、スピノザにとって、原因や真理を理解する方法とはどのようなものか。スピノザは、初期の未完の作品『知性改善論』で、「真の方法」が「純粋知性およびその本性と諸法則の認識にのみ存する」とする(方法の理論的側面)。そして、こうした認識を得るために、知力と表象力という認識能力の区別、真なる観念とその他の観念(虚構や虚偽、記憶)とを区別する必要を認める(フッデ宛書簡、一六六六年)。言葉や記号は、それらが表象の一部をなすかぎり、虚構や誤謬の原因になる。事物の本性に関する認識がないかぎり、真の認識はありえない。そこでスピノザは認識の分類と秩序を重視し、純粋知性から生ずる明晰・判明な観念、すなわち『エチカ』で言われる妥当(十全)な観念によって、真の認識をめざす。ここからまた、真の方法のためには、「倦まざる思索と確固たる精神とゆるがぬ決心が必要」であり、これをもつためには一定の生活規則と目標が必要であるとする(方法の実践的側面)。

『知性改善論』でスピノザは、しばしば方法とは反省的認識であると語る。言い換えれば、方法とは「われわれが認識すべきものをこうした認識によって認識する道」である。その道とは、「何らかの与えられた真の観念の規範に従い、正確な諸法則によって、探究の歩みを続けていくことである」。そして、「この方法は、われわれが最高完全者の観念をもった場合に最も完全になる」。したがって、完全者の認識こそが究極目的になる。

しかし、方法は推論行為自体や事物の原因を理解することには存しない。こちらは哲学の仕事である。むしろ方法は、真の観念を他の知覚から識別して理解し、理解すべきことを規範に従って理解できるように精神を制御し、そのために必要な確実な規則を与えることに存する。すなわち、「方法とは、反省的認識あるいは観念の観念以外の何ものでもない」。スピノザは、観念の無限遡行を否定し、概念形成の始点となる生得的観念を認める。そして、知性にある生来の力ないし道具から、真理の探究をいっそう進める能力を得ると主張する。与えられた真の観念のあり方にしたがって、精神がどのように導かれるべきかを示す方法が、正しい方法である。こうして、「最も完全な方法は、与えられた最高完全者の観念の規範に従ってどのように精神が導かれるかを示す方法であることになる」。

スピノザは、自然理解をいっそうよくすれば、精神理解もますますよくなり、逆もまた真とする。そして、精神が最高完全者すなわち神の認識を反省するとき、最も完全になるとする。ここに、スピノザの方法が存する。

†スピノザの幾何学的方法

スピノザの自然哲学が主に展開されるのは、『デカルトの哲学原理』と『エチカ』の一部分である。前者はエウクレイデスの論証法に則り、幾何学的秩序にしたがってデカルトの『哲学原理』（第一部・第二部全体、および第三部の一部）を再構成し注解をほどこしたものである。デカルトの『哲学原理』は、自らの哲学を分析的に論証した『省察』に対し、その諸原理を明らかにし根拠がわかるよう総合的な順序に書き直したものだった。したがって、まず諸命題が立てられ、その後にその説明ないし論証がなされるというスコラ的スタイルがとられる。しかし、公理や定義からの幾何学的論証にはなっていない。スピノザはそのデカルトの『哲学原理』に幾何学的秩序の体裁を与えんとする。

『エチカ』が幾何学的な叙述方法を採用したのは、ある意味必然的である。すでに『知性改善論』に示されているように、彼の方法論・認識論そして定義論の観点から、神から個物を演繹していかねばならないからだ。スピノザは『エチカ』第三部序言で、感情についても幾何学的方法で論じるとし、人間の行動と衝動を、線・面および立体を研究する場合と同様にして考察するとしている。そこでは、幾何学的方法を用いる理由にも触れている。曰く、自然のうちには自然の過ちのせいで生じることは何も起こらない。なぜなら、自然は常に同一である、すなわち万物の生成変化を生じさせている自然の法則は同一だからである。したがって、万物の本性を認識する様式も同一でなければならない。それは自然の普遍的法則による認識でなければならない。憎しみや怒りなどの感情も、それ自体で考察すれば、その他の個物と同様に自然の必然性と力とから生ずる、と。こうして、スピノザは、神および人間精神に関する形而上学と自然哲学に加えて、倫理学の幾何学化を試みる。倫理学の領域は、伝統的には人間の意志や行為が作用する偶然的な領域とされたが、スピノザは倫理学をも必然的推論に基づく幾何学的方法によって扱おうとした。この点で、アリストテレス－スコラ的伝統から逸脱している。

†デカルトとホッブズのスピノザへの影響

スピノザの自然哲学はある種のデカルト派機械論である。しかし、無批判にデカルトを受容したわけではない。デカルトが自然哲学とりわけ運動法則を導くのに超越的な神を用いたのに対し、またホッブズが自然哲学から超越的な神を排除したのに対し、スピノザはあらゆる意味で超越的な神を拒否する。スピノザの神は自然そのものであり、内在的な神である。

ホッブズのスピノザへの影響は、とりわけ自然法則の扱いに見られる。ホッブズと同様、スピノザにとって自然法則は物質と運動の本性から帰結するものであり、それらは幾何学的真理と同様のステータスをもつ。したがって、幾何学的方法を採用するホッブズと同様、スピノザにおいても定義が重要となる。ただし、自然法則について、ホッブズが理由律という他の原理に依存したのとは異なり、スピノザは完全な定義は事物の内的本質を明らかにし、「それ自体を通じて知られる」とする（『知性改善論』）。

またスピノザは、自然に関する知識を聖書から独立させ、自然哲学と神学を分離した点でベイコンらの実験哲学を高く評価している（『知性改善論』）。しかし、スピノザは、ボイルの自然哲学を検討したオルデンバーグへの手紙では、そうした実験的方法は数学的な証明ではないので、絶対的説得力をもたず、なぜそもそも実験的方法によって結論しようとしているのか不明だとする。これは、ホッブズの実験哲学批判と重なる論点である。スピノザは実験的方法を新事象の認識をもたらすものとして評価したが、事物の本性を解明しないものとした。感覚的知識は想像力に属すのに対し、本質や原因の知識は知性のみに属すからである。他方でスピノザは、デカルトこそ、理性的論証によって事物の本性を解明した哲学者であると考え、その理性的方法を継承する。

このように、スピノザの方法と自然哲学は、デカルトおよびホッブズの影響を大きく受けているが、両者とも異なる独自なものなのである。

4　ライプニッツの方法と自然哲学

†ライプニッツの科学方法論

　ライプニッツは、伝統的な方法や新たな方法を批判的に継承しつつ、微積分学など自身の発明した手法を加えて、普遍的な方法を追求する。ライプニッツが方法のモデルとした科学理論は、結合法や代数学など多様である。分析や総合、三段論法やスコラの論理学などの伝統も尊重し、学問を改定していく。

　ライプニッツも、ホッブズやスピノザと同様に、数学をモデルとして学問方法論を考察した。それは、より少数の単純な仮定から、より多くの複雑な諸命題を演繹的に帰結するモデルである。ライプニッツの思想は、数学を自然の知的探究の手本とする西洋哲学の伝統に連なる。やがてその思想は、かつてデカルトも計画した「普遍数学」として、彼の方法論の代名詞となる。しかし、デカルトとライプニッツの数学的モデルは、それぞれ内容も本性も異なる。

　デカルトは、『幾何学』において算術と幾何学を代数によって結びつけ、解析幾何学を発明した。しかしその内容は古代ギリシア数学の範囲にとどまり、無限を排除した。他方でライプニッツは無限級数や無限小計算によって無限を含む解析幾何学を確立した。デカルトは、論理学あるいは三段論法が真理の発見にとって無用として、自らの方法から排除した。それに対しライプニッツは、形式論理学を基礎とし、普遍数学を結合法・記号法に従属したものとして構想する。さらに、デカルト派の学問論は絶対的な確実性を重視するあまり蓋然性を軽視したが、ライプニッツは蓋然的知識も役に立つとして確率論や蓋然性の論理の先駆けとなった研究を行う。蓋然性とはおおよそ確かな真らしさの程度を言う。経験科学においては、経験との一致による実践的確実性で満足すべきとし、ア・ポステリオリな方法も評価する。

ライプニッツはデカルトが『方法序説』第二部で提示した四つの規則を批判する。とりわけ重要なのが、「明証性の規則」の拒絶である。ライプニッツにとって、われわれ人間が要求できる確実性は、直観的な「明証性」においてではなく、論理学的な「形式性」、すなわち定義や公理から諸命題への連鎖において真理を保存して論証するその機械的アルゴリズムにおいてある。デカルトの明晰・判明の規準は主観的かつ心理的なあいまいなものであり、論理的な真理規準ではない。デカルトが第一原理とし、認識から存在へと向かうことを認める「コギト」も、ライプニッツはあくまで経験的・心理的な原理であるとして、必然的・論理的真理とは認めない。ライプニッツがとるのは、存在から認識へと向かう、伝統的な個体的実体の実在論である。したがって、デカルトの方法的懐疑はとらない。こうしてライプニッツは、デカルト派が批判した伝統的論理学を擁護し、論理学の「形式性」を真理規準に数学を論理の上に築こうとする。デカルトの「明証性」とは、純粋かつ単純な思考作用によって、真なる観念を自己のうちで直接知覚することを言う。しかしライプニッツはデカルトの要求が強すぎるとする。真なる観念の直接的認識は、われわれの理解を超えている。われわれは、あるものの観念を、精神を介して表現しうるにすぎない。そうした観念は形相的には神の精神のうちに（in mente Dei）あり、その直接的把握の特権は神にとっておかれる。こうしてライプニッツは、確実性を明証性から切り離し、論理の形式性において見る。

またライプニッツはデカルトの分析・総合・枚挙の規則を批判する。分析が長くなると論証全体をわれわれは一挙に直観できない。事物の本性を教える実在的な定義が必要だが、われわれの思考はむしろ暫定的・仮説的・記号的な名目的定義に依存している。真の総合のためには、出発点となる単純な要素が分析されている必要がある。記憶力を補う記号法と結合法があってはじめて、完全な枚挙も可能になる。デカルトは新しい知識の発見を重視したが、ライプニッツはそれ以前に発見法が重要だと考える。分析、総合、枚挙を人間に可能にする、形式的な記号法と結合法が、真の発見術には必要である。

デカルトが明晰・判明な直観を真理基準としたのに対し、スピノザは判明な認識にもさらに十全な（直観による）認識と非十全な（表象や理性による）認識を区別した。ライプニッツは十全な認識をさらに直観的認識と記号的認識にわけ、前者を完全な認識、後者を盲目的思惟による認識とも呼んだ。ライプニッツは、ホッブズがウォリスとの論争で記号代数学を批判したのに対して、「判明に推論するためには盲目的認識に訴えれば十分」とする。また、スピノザが記号的表象を誤謬的な認識としたのに対し、ライプニッツは記号的思考によって数学的抽象の世界が開かれ、自然の本性の認識に関するある断念によって自然学が発展することを積極的に認める。

ライプニッツは人間の本性的認識が直観にではなく、むしろ記号的認識にあるとする。代数学や算術にかぎらず、ひとは至る所で記号的思考を用いている。したがってあらゆる学は記号法の一部門にすぎない。記号法は、事物の代わりに記号を置くことで、想像力や記憶力の負担から解放し、推論を容易にする。自然現象の秩序に対応するように言葉を秩序づける記号法を構築することができれば、記号的関係の秩序から実在性を引き出すことができる。「盲目的認識（cognitio caeca）」は、記号的認識でも判明な認識を得られ知識を増大しうるとする普遍計画の一環にある。こうしてライプニッツは、分析を代数化する「普遍的記号法」を構想する。また論証を定義の連鎖、分析を定義されるものの定義への分解とみなす。そして証明を自同命題への還元と考え、推論の代数化を推進する。こうしてあらゆる推論が代数計算となれば、われわれはただ「計算しよう！」と言えばよい。

デカルトが比例論や代数方程式を学問のモデルとしたのに対し、ライプニッツでは結合法が諸学の基礎とみなされる。結合法とは、事物や概念を記号によって代表し、それら記号の配置や関係といった秩序を数学的に探究する、質一般の学問である。それは、記号化によって関係を抽象する「抽象的関係の一般的理論」（ルイ・クーチュラ）であり、事物の形式を普遍的に取り扱う記号的学問でもある。ライプニッツは結合法を用いて、方程式の量的関係に限定されていたデカルトの解析幾何学を、相似などの質的関係にまで拡大する「位置解析」（Analysis Situs）を構想している。結合法は、数学における順列計算を含む組み合わせの理論である。それは、三段論法における命題の組み合わせや確率論などに応用される。また、素数によって自然数すべてが形成されるように、素項（原始概念）に対して記号数を割り当て、数によって命題を表現する、いわゆる「人間思考のアルファベット」の着想も得ている。すなわち結合法とは、すべての概念は単純な基本的概念の組み合わせから合成されているという考えに基づき、それら概念の組み合わせを網羅し、新しい概念を発見する術である。

†ライプニッツの普遍数学

一七世紀後半は普遍数学に関する資料に溢れており、それらの影響を受けたライプニッツの普遍数学もまた多義的である。ライプニッツの普遍数学は、デカルト主義的伝統を強く受け継いでいるとともに、若い頃ドイツで学んだ非デカルト主義的伝統も継承している。普遍数学のデカルト主義的伝統からは、代数学を真理の発見術として位置付け、それを普遍的方法として捉える側面を継承する。こちらの陣営には、デカルト『幾何学』の詳細な注釈を書いたウォリスや、フランス・ファン・スホーテン（一六一五〜六〇）、オラトリオ会の司祭でデカルト派のニコラ・マルブランシュ（一六三八〜一七一五）とその弟子ジャン・プレステ（一六四八〜九〇）、そしてデカルトを崇拝し代数学を普遍数学と捉えたが、ライプニッツの結合術や無限小解析を過小評価したエーレンフリート・ヴァルター・フォン・チルンハウス（一六五一〜一七〇八）らがいる。他方で、非デカルト主義的伝統からは、事物を見積もる方法としての普遍数学の概念を師のエアハルト・ヴァイゲル（一六二五〜九九）やその弟子ヨハン・クリストフ・シュトゥルム（一六三五〜一七〇三）から受け取る。また概念分析による新しい論理学を探究したヨアヒム・ユンギウス（一五八七〜一六五七）の影響もある。ユンギウスは普遍数学を「原始数学」と呼んだが、その原始数学の命題は想像力や記憶、図形の助けによらないとしている。

また、ライプニッツの普遍数学は時期やテキストによって定義が異なる。パリ期以前にもっていたのは、記号代数としての普遍数学とヴァイゲルの普遍数学の概念である。当初は普遍的記号法を発展させるため代数学をモデルとしたが、中期（一六七九〜八六年）には、記号的機能に価値をみて、形式と数式に関する学としての結合術へと普遍数学を拡張する。普遍数学は、シンボルを扱う想像力を擁護し、量だけでなく質つまり形も扱う「抽象的関係の一般学」すなわち「想像力の論理学」として、結合術に従属する学とされる。デカルト派のように「量についての普遍数学」と狭義の意味で言われる場合もあれば、位置解析を含む「量と質についての普遍学」とも言われる。一六九〇年代は動力学の促進および微積分の研究をしていた時期だが、そこでは普遍数学を、力を見積もる学へと拡張する無限学として構想する。一八世紀以降は、普遍数学はふたたび量に限定された狭義の定義に戻り、数学の基礎的な概念や操作の解明に乗り出す。しかし、ライプニッツの普遍数学は未完のプロジェクトに終わった。普遍数学の理念は、一九世紀になってボルツァーノやフッサールらにおいて復活する。

†ライプニッツの自然哲学

ライプニッツはまだ若いときに、スコラ哲学を放棄して機械論哲学を採用した。彼がこの新哲学に関心をもったのは、少ない存在者の前提で多くの現象を説明できるという唯名論的観点にある。こうして初期ライプニッツは機械論を受容するが、すでに独自な考えも芽生えている。機械論は、物体的現象を説明するさい、神や形相・質に訴えることを排し、すべてを物体の大きさや形状・運動という物体の本性から導く学である。しかし、物体の剛性ないし凝集の原因や、なぜこの物体がこの大きさやこの形状をもつのかという理由など、物体の本性だけでは説明不可能なものがある。こうしてライプニッツは、物体的現象の説明のためには、非物体的原理として形相や神が必要だと主張する。ライプニッツの自然学研究は一六七一年の『抽象的運動論』と『新自然学仮説』に結実する。そこではライプニッツも定義から命題を論証する幾何学的方法を採用した。『抽象的運動論』では基本的な運動法則を明らかにし、『新自然学仮説』ではそれらから導かれる、われわれが観察している現象を生む仮説的な世界を描いた。『抽象的運動論』は、明らかにホッブズから原理による方法と着想を得ている。実験・経験が幾何学的推論から排除されねばならないように、運動の抽象的理由の学からも排除されねばならず、事実や感覚からではなく名辞の定義から論証されねばならないとしている。さらにライプニッツは、運動の生成原因としてコナトゥスがなければならないことに同意する。しかし、運動の非延長的で不可分な端緒であるコナトゥスを、ホッブズのように物体的なものとみなさず、むしろ「瞬間的精神」と結びつける。ライプニッツは物体の一性および物体の運動がもつ不可分性は、究極的には非延長的な精神の不可分性によってのみ説明しうると解釈したのである。そして不可滅な精神は不可分な幾何学的点に存在するとした。これは、運動論の前提として、真に同一なものがなければ、運動変化が意味をもつことはないという、ライプニッツが終生維持した個体化(同一性)の原理にほかならない。こうしてライプニッツはホッブズのコナトゥス概念を「精神化」して受容した。ライプニッツは物体そのものを精神化したわけではないが、これはホッブズの唯物論的自然哲学を観念論に転換する路線にほかならない。

その後、一六七二年から七六年までパリに滞在するが、一六七四年には変換定理を発見し、遅くとも翌年までにはその定理を証明、微積分学という新しい方法を確立した。その間にライプニッツは機械論の限界を認識し、ある時点から機械論哲学とアリストテレス哲学とのあいだの和解を試みようとする。それは、機械論の原理にアリストテレスの「実体的形相」を加えることによってなされる。「実体的形相」とは、物体ないし「物体的実体」が本来的にもっているべき、目標指向的な本性を説明するために用いられる、アリストテレス哲学の用語である。たとえばそれは、植物の光に面しようとする傾向、重い物体が地球に落下しようとする傾向などを指示する。一六七六年、パリを離れたライプニッツは、運動の本性を論じた対話篇『パキディウスからフィラレトゥスへ』を書く。そこでは、デカルトやガリレオの数学的自然学の問題点を踏まえて、アリストテレスの第一哲学すなわち形而上学の方法を継承する。そして、自然哲学の実証的方法は未だ成熟しておらず、原理的考察も無用ではないとした。こうしてライプニッツは、一度放棄したアリストテレスの「実体的形相」の考えを復活する。ただし、そのことで機械論のプロジェクトを放棄したわけではない。機械論に物体の一性の起源を保証する精神的原理として「実体的形相」を導入する一方で、物体とその現象の説明に関しては機械論を積極的に展開するのである。

一六七〇年代末にはホッブズ的な自然学を放棄し、新しい動力学を確立していく。そこでは物体がもつ延長や不可入性は純粋に受動的なもので、能動の起源は物質の変様ではあり得ないとする。すると、運動も思惟も何か別のものに由来しよう。そこでライプニッツは、物体的現象の機械的説明を支持しつつ、物体が何らかの能動的力をもつ、厳密には、物体は形相すなわち原始的能動的力（活動の原理）と質料すなわち原始的受動的力（抵抗の原理）という二つの本性から複合されているとする（「動力学提要」一六九五年）。こうして、物質的事物においてすべては機械的に説明されうる——ただし力学の原理そのものは除いて。このことによってライプニッツは、独自の動力学的世界像を提出するのである。

一七〇〇年以降、ライプニッツはモナド論（モナドロジー）を展開する。モナドとは、精神的で不可分な一なる単純実体である。物体的実体は具体化されたモナドの複合にほかならず、その身体はある支配的モナドに従属する他の諸モナドの寄せ集めである。物体的実体は、そのうちで時間を通じて機能と目的の統一をそれに与えている実体的な原理すなわち形相のおかげで、一なるものとなっている。通時的同一性を保つ物体は、その実在性を実体から導くが、それ自体は実体ではなく、知覚された現象的一性をもつのみである。同様に、運動は、各瞬間において存在している瞬間的な力からその実在性を導く。ライプニッツは、デカルト派が物体の本性を延長のみに限定し、延長実体を主張した点を執拗に批判する。ライプニッツは、延長は何か或るものについての延長でなければならないと主張する。そして、その或るものが何であるのかについては、最終的には、新しい「力」概念で説明する。すなわち、延長とは抵抗がもつ受動的力の拡散である。受動的力は、能動的力によって補完される。能動的力は、アリストテレスが物体における完全性の能動的原理とした「実体的形相」あるいは「第一エンテレケイア」を、ライプニッツの動力学において再解釈したものである。これら能動的力と受動的力が一緒になって、物体的実体が構成される。

†おわりに

以上概説してきた、ホッブズ、スピノザ、ライプニッツの科学論と方法論について、「世界哲学史」の観点から何が言えるだろうか。まず、いずれもが、デカルト的な新しい機械論哲学、すなわち数学的方法に基づく自然哲学の構築というプロジェクトを、さらに徹底する仕方で受け継いでいるということである。そして、興味深い点は、三者ともスコラ哲学に対して批判的だったにもかかわらず、原理から世界像を立ち上げる第一哲学に関する、アリストテレス的伝統を色濃く引き継いでいるということである。これは、彼らの描いた数学的世界像が、単に数学を用いた形式的な現象の説明にとどまらず、その実在的根拠を明らかにする仕方で展開せねばならないという、共通の哲学的要請にしたがった結果にほかならない。しかし、それぞれはまったく独自な自然哲学の体系を示した。ホッブズは、物体とその運動に基づく唯物論的世界像を提示した。スピノザは、デカルトの方法を『原論』の幾何学により忠実な仕方で徹底し、精神と自然が神のうちで一致する一元論的世界像を描いた。そしてその後の世代であるライプニッツは、先駆者たちの数学的方法よりもはるかに普遍的な方法を追求し、伝統的な哲学と新しい哲学を総合して、精神と自然が調和する新たな動力学的世界像を描いたのである。

さらに詳しく知るための参考文献

小林道夫編『哲学の歴史 5 デカルト革命』(中央公論新社、二〇〇七年)……本章に登場する一七世紀の主要な哲学者たちをかなり詳しい内容までカバーする、入門者から専門家まで必携の一冊。

ホッブズ『物体論』(本田裕志訳、京都大学学術出版会、二〇一五年)……ホッブズ自然哲学の主著にして、その哲学体系の原理的部分に関する、ラテン語原典からの記念碑的邦訳。

スピノザ『知性改善論』(畠中尚志訳、岩波文庫、改訳版、一九九二年)……スピノザが自身の方法論と認識論を短くまとめたもの。原典だが他書と比べ読みやすく、スピノザへの最良の入門書となろう。

イヴォン・ベラヴァル『ライプニッツのデカルト批判』(岡部英男、伊豆藏好美訳、法政大学出版局、上二〇一一年、下二〇一五年)……デカルト批判の観点からライプニッツの哲学体系を詳述した基本書。

田上孝一、本郷朝香編『原子論の可能性 近現代哲学における古代的思惟の反響』(法政大学出版局、二〇一八年)……ライプニッツ自然哲学についてのより詳しい展開については、同書第四章、池田真治「ライプニッツと原子論――〈アトム〉から〈モナド〉へ」(一一一〜一五二頁)を参照されたい。

第8章

近代朝鮮思想と日本

小倉紀蔵

1 朝鮮・韓国の哲学的位置

†人間主義・知性主義・道徳主義

本シリーズのような世界哲学史の総合的叙述のなかに、朝鮮哲学（思想）の一章を設けるのは異例といってよいであろう。

世界哲学に対して朝鮮哲学はいかなるインパクトを与えたのか。残念ながらこれまでのところは、インパクトはほとんど無かったといってよいだろう。だがそれは、朝鮮哲学に価値がないことを意味するわけではもちろんない。朝鮮という固有名詞の地味さによってその価値が隠されてしまったという側面があるし、もうひとつは、朝鮮の哲学的思考の特性として、現在の窮境を脱して未来を志向するという性質を持つものが少なくない。特に近代という現象に対する激しい愛憎を内蔵した思想は、将来の世界にインパクトを与えてゆくものとして位置づけられるだろう。「土着的近代」とか「もうひとつの近代」という視点からの朝鮮思想の再解釈も行われているし、またポストモダン系の観点も近年の韓国で大きな影響力を持っている。

朝鮮哲学(思想)の特徴を全般的にごく単純化していうなら、「人間および人間性、そしてその知性と道徳性に対するあくなき肯定と追究」といえるであろう。これは儒教(朱子学)が持つ基本的な性格であるが、朝鮮仏教や朝鮮シャーマニズム、さらに朝鮮文化や朝鮮文学も同じ傾向を持つ。強烈なる人間中心主義であり、正統的な人文主義である。超越性とその内在という観念が、徹底的に日常化されている。人間の本質的善性に対する強い信仰があり、その道徳的能力への痛ましいほどの帰依がある。外部からの度重なる侵略や、為政者による圧政と社会の混乱などが、それらに決して屈しない強靭な「人間」への信仰を鍛えてきたのだと思える。逆にいえば、「知性的・理性的かつ道徳的な人間」以外の存在者(動物や「もの」など)への感性は日本思想よりずっと弱いし、民衆(非理性的人間)の文化・思想が抑圧されたため豊富に残存していないし、文字テクストの偏重——たとえば現存する世界最古の金属活字本『白雲和尚抄録仏祖直指心体要節』は一三七七年の高麗時代のものであるし、美しい朝鮮活字は日本でも寵愛された——の裏返しとして視覚芸術(特に絵画)が貧弱であったなどの特徴も有する。全般的に啓蒙的・知性的・「近代」的であるといえる。そのためもあって、脱近代の思想は併合植民地時代に日本の影響で芽生えたが解放後に途絶え、韓国の思想潮流は啓蒙理性的な近代主義一辺倒になった。一九八〇年代には左派の思想が活性化して民衆思想・民衆芸術が反近代の方向性を強く打ち出したが、そこでも強調されていたのは、近代という「反人間的な悪」に対して立ち向かう道徳的民衆としての強靭な「にんげん」なのであった。人間解体の方向性に容易に向かってしまう日本のポストモダンとは似ても似つかない思想傾向である。

ただし、主流でない思想・文化には、以上のような道徳志向とは異なるデカダンスやニヒリズムの志向も存在した。だが日本との違いは、それらの反主流・反道徳の思想・文化が朝鮮では徹底的に蔑視されつづけ、洗練化されずに放置されたことである。

†半島としての思想的形成

デリダはヨーロッパを「岬」だといったが、半島という地理的な条件は、多種多様な思想の多量の流入を促すと同時に、大陸の政治権力との関係において、その多種多様性をそのまま並存させずに整理・統合するという方向性も促す。特に朝鮮半島は、西に中国という文明的・軍事的に強大な地域が隣接しているため、つねにそれとの緊張関係において思想を営為しなければならなかった。唐の時代に新羅が漢文文明化を積極的に行ったことや、明・清の脱朱子学化（陽明学・考証学の登場など）に対処するため朝鮮がいっそうの朱子学化を推し進めたことなどは、中国との文明的・軍事的緊張関係がなければ起きなかったことであろう。

それだけではない。半島の東には群島文明としての倭（日本）があって、この「反文明性」をどう扱うか、ということも朝鮮にとっては伝統的に重要な課題だった。ヨーロッパでたとえばスコットランドの群島文明性が、ヒュームの懐疑論や「知覚の束」という突拍子もない人間規定を生んだのと同様、東アジアでも日本が脱大陸的・脱合理主義的・脱本質主義的な突拍子もない世界観を打ち出す地域（華夷秩序における夷）であることに対する文明的優越性の自己規定として、超越的善性が人間に内在することへの信頼、理性と知性と道徳性の根拠の探究などが朝鮮では徹底的に行われたともいえる。

朝鮮半島という「岬」は、大陸（啓蒙理性的文明）と群島（非理性主義的文明）にはさまれた人間主義的な場所なのである。

この「岬」は、多種多様な思想を混在させたが、通史的にいえば、折衷化・混淆化という方向性よりは、純粋化・排他化という方向性が強かった。思想が政治権力ときわめて密接な関係を持つという傾向である。高麗時代以降の公式的仏教における華厳と禅の圧倒的優位――民衆レベルでは浄土・弥勒・法華経信仰も強かったが――、朝鮮時代の儒教における朱子学の絶対的優位――陽明学は家学として細々と継承された――などは、日本の仏教・儒教の異種並存的性格と比較すればきわめて明瞭な特徴をあらわしている。もちろんそればかりではない。一九世紀には、シャーマニズム・アニミズム・儒教・道教・仏教を融合した東学のような思想的・宗教的アマルガムも登場する。

†日本への影響

古代から朝鮮半島が文明的・文化的・思想的に、日本群島に対して強い影響を与えたのは当然であり、常識である。

百済の和邇吉師（王仁のこと）が応神天皇の代に『千字文』や『論語』をもたらしたという記録が『古事記』にある。また五五二年つまり欽明天皇一三年のとき、百済から仏教が公伝する（仏教の伝来自体はもっと早いとされる）。

新羅との思想的つながりも深く、特に新羅最大の仏教哲学者であった元暁（六一七〜六八六）は日本仏教に大きな影響を与えた。彼の弟子であり中国の法蔵（華厳宗第三祖）の弟子でもあった審祥（審詳とも）は、七三六年に日本に華厳思想を伝えた。

鎌倉時代初期の明恵（一一七三〜一二三二）は「華厳宗中興の祖」といわれるが、その彼が尊崇したのは新羅の華厳思想の大家である義湘（六二五〜七〇二）であった。義湘は中国華厳思想にはない「理理無礙法界（理理相即）」という概念を打ち出した人物で、井筒俊彦（一九一四〜一九九三）も注目した。

また日本独自といわれる漢文訓読法も、新羅系統の仏僧の経典の読み方と通底するものがあるという（これに関しては金文京『漢文と東アジア』岩波新書、二〇一〇年を参照のこと）。日本の修験道や武士（さむらい）の起源が新羅の花郎（ファラン）にあるとの指摘も、あながち荒唐無稽な論ではない。花郎とは新羅の青年貴族戦闘集団（花郎徒）の長であり、下生した弥勒であるとの信仰があった。新羅の深山を逍遥しつつ儒教的・仏教的・道教的な思想を混淆させた耽美的集団であり、さらに「戦（いくさ）に臨むに退く無し」「生を殺すに択（えら）ぶ有り」という、死生を超越する武人の戒律によって結束した。

†朱子学（性理学）

さて、本章では朝鮮の思想・哲学を語るのだが、その時代的な守備範囲は主に近代となっている。叙述は近代を中心にして、それに直接の影響を及ぼした朝鮮時代（一三九二年から一八九七年の朝鮮王朝の時代を、朝鮮時代という）から始めることにする。

朝鮮思想史の場合、高麗以前ならば仏教に関する記述を厚くしなければならない。特に新羅の元暁・義湘や高麗の知訥（チヌル）（一一五八〜一二一〇）などに焦点を当てなければならない。だが朝鮮王朝以後に焦点を絞るならば、やはりまず言及すべきは朱子学（近年、韓国では朱子学という呼称よりも性理学の名が好まれる傾向があるが、本章では朱子学と呼ぶ）であろう。朝鮮の代表的な朱子学者としては、李退渓（一五〇一〜一五七〇）や李栗谷（一五三六〜一五八四）などがいる。

朝鮮では、中国の朱子学を精緻化し、整合化し、形式化し、政治化し、霊性化しようとした。精緻化の例としては「四端七情論争」「人物性同異論争」などがあり、整合化の例としては緻密な文献学的研究があり、形式化の例としては「礼論」があり、政治化の例としては李栗谷を源流とする老論派（最大党派）の流れがあり、霊性化の例としては李退渓を源流とする南人派（四大党派のひとつ）の流れがある。霊性化の流れから一八世紀後半に朝鮮最初のカトリック信者が出現し、また後世に「実学」と呼ばれるようになる思想傾向が大成する。

「実学」については後述するとして、ここでは哲学的な論争を二つだけ紹介する。ひとつは「四端七情論争」である。これは「四七論争」ともいうが、四は四端を、七は七情を指す。四端は『孟子』に出てくる重要な概念で、惻隠・羞悪・辞譲・是非という四つの情であり、それぞれ仁・義・礼・智という四つの道徳性（性）の端緒であると孟子が規定した。七情は『中庸』や『礼記』に出てくる喜・怒・哀・懼（楽）・愛・悪・欲という七つの情である。四端も七情も情（気）であることにはかわりがない。しかし朱子学において、四端は道徳性（性すなわち理）と直結する情であるのに対し、七情は人欲に陥る可能性のある情であるという違いがある。

「四端七情論争」とは、李退渓と奇高峯（一五二七〜一五七二）とのあいだに繰り広げられた大きな哲学論争であった。

李退渓は「四端は理の発したものであり、七情は気の発したものである」と考えた。これは「理気互発説（理も発し、気も発する）」と呼ばれた。だが若き奇高峯がこれに対して、四端と七情を理と気に二項対立的に分けてしまうと、七情は性（理）とは関係ないものになってしまうし、四端は気と関係ないものになってしまう。正しくは、七情も性が発したものなのだから性（理）と関係があるし、四端も情なのだから気なのだ、と主張した。これに対して李退渓は、有名な「四端理発而気随之、七情気発而理乗之（四端は理が発して気がこれに随う、七情は気が発して理がこれに乗る）」というテーゼを打ち出した。この後の朝鮮儒学史は、李退渓のこのテーゼをめぐる論争の歴史といっても過言でないほど、重要な命題となったのである。不動であるはずの理が「発する」というのは、朱子学者としては簡単に肯定できない。だが李退渓は、「理発」、「理動」、「理到」というような、躍動的な理を主張した。

これに対して李栗谷は奇高峯の論を支持し、「理は発しない」こと、「気が発して理はそれに乗る（気発理乗説）」ことを明確に主張した。

このあと、朝鮮儒学界は李退渓系統（嶺南学派）と李栗谷系統（畿湖学派）の二大学派に分断されることになる。一六世紀以後の朝鮮は党争の時代である。士大夫がまず東人と西人に分裂し、前者が南人と北人に分裂する。このうち南人が李退渓系統である。後者の西人が李栗谷系統だが、これはのちに老論と少論に分裂する。南人、北人、老論、少論が四大党派である。

もうひとつの重要な哲学論争は「人物性同異論争」というもので、執権党派である老論派の内部で長いあいだ繰り広げられたものである。ここで「人」は人間を指し、「物」は主に動物を指す。人の本性と動物の本性は同じなのか異なるのか、という議論であった。

論争は、李柬（一六七七〜一七二七）と韓元震（一六八二〜一七五一）という同門のあいだで起こった。ともに老論派の巨頭・権尚夏（一六四一〜一七二一）の門人であった。李柬は人物性同一（人と物の性は同じ）と主張し、韓元震は人物性相違（人と物の性は異なる）と主張した。このふたりを受け継ぎ、近畿（首都近郊）と忠清道にそれぞれ住む老論派士大夫のあいだで、人と動物の性の異同、心が未発の状態における善悪の問題、そして心の重層性などに関して延々と精緻な議論をすることになる。

この論争は一八世紀後半まで長く続き、北学思想や衛正斥邪思想、さらに開化思想というその後の重要な思想・理念にまで大きな影響を与えることとなった。

なお、朝鮮朱子学は日本に大きな影響を与えた。特に李退渓を尊崇する儒者は、熊本、土佐などを中心として数多かった。熊本では李退渓を最高の儒者と考える熊本実学派が活躍し、人材を輩出した。幕末の横井小楠（一八〇九〜一八六九）もそのひとりであった。また明治にはいって明治天皇の侍講となり、のちに枢密顧問官にまで昇った元田永孚（一八一八〜一八九一）は、井上毅らとともに「教育勅語」をつくった儒者であった。李退渓を尊敬してその学問を学んだ日本の儒者が「教育勅語」をつくり、それがこんどは併合植民地の朝鮮を支配していく強力な思想となったのは、まことに皮肉というべきか。

2 近代との関係

†いわゆる「実学」の問題

併合植民地時代（この言葉に関しては後述）に「実学」が「発見」されたのは、明確に、日本人による朝鮮思想解釈への反動であった。実学という言葉はそもそも朱子学のタームであった。科挙受験のためなどに詩文を覚える学問（記誦詞章の学という）に対して、人間の道徳的な本体である心を純粋化させる学として、朱子学が自己規定した言葉である。

日本でも明治以前、実学の名はそのように使われた。熊本実学派の実学はまさにそのような意味であり、朱子学や李退渓を実学として尊崇したわけである。

だが明治以降、日本では、かつての朱子学的パラダイムにおいて「功利」「事功」の学といわれて軽蔑された、現実の経済の発展や社会の改革の学問を実学と呼ぶ勢力が力を増大化させた。それと同時に、朱子学を「固陋」「空理空論」と規定する言説が勢いを増し、さらにその言説は、朝鮮がまさに併合直前まで「朱子学一辺倒」であったという「事実」と出会って、併合植民地化を正当化する論理として強力に機能し、新型ウイルスのように猛威をふるった。

朝鮮側はこれに対応して、さまざまな思想的動きを見せた。日本的「実学」をそのまま実践する開化派や親日派がいたし、逆に実用から遠く離れて霊性化する新興宗教もあった（東学、天道教、甑山教、円仏教など）。この宗教的霊性化はしかし単なる現実否定ではなく、新しい世界の開闢という使命を持っているものが多かった。

ここにもうひとつの大きな潮流として、「朝鮮は朱子学一辺倒ではない。朝鮮にも朱子学的な意味ではない非形而上学的な実学はあった。いやそれは東アジア最高レベルのものだった」という主張が登場した。鄭寅普（チョンインボ）（一八九三～一九五〇）という第一級の歴史学者（陽明学者でもあった）が主導してこの言説を力強いものに鍛えていった。本章では、朱子学で主張されていた本来の実学（道徳的実践の学）と区別するために、併合植民地期から新しく主張された非形而上学的な「実学」を、「　」つきで表記することにする。

「実学」者の系譜分類に関しては、「経世致用学派」と「利用厚生学派」の二派に分類したり、あるいは「経世致用学派」「利用厚生学派」「実事求是学派」の三派に分類するというのが韓国での主流である。

「実学」的な学問の嚆矢は李睟光（一五六三〜一六二八）であり、その後、柳馨遠（一六二二〜一六七三）が続く。だがなんといっても南人派の李星湖（一六八一〜一七六三）が百科全書的な「実学」の巨星として重要である。李星湖の系統から安鼎福（一七一二〜一七九一）、李家煥（一七四二〜一八〇一）、丁若鏞（一七六二〜一八三六）などの「実学」者たちが輩出したのでこれを星湖学派と呼び、その学問傾向から経世致用学派と呼ぶ。この学派は朝鮮にカトリックがはいったときの最初の受容者となった点もまた重要である。特に丁若鏞は号の茶山のほうが有名な、朝鮮後期最大の儒者であった。

星湖学派（南人派）はしかし、政界ではあくまで傍流であった。これと対立する党派である主流派の老論派からも「実学」が登場した。朝鮮が蔑視する清から最新の文物を学ぶことを主張した北学派（北は清のこと）であり、彼らの主張の中心が利用厚生（『書経』の語）を充実することだったので、これを「利用厚生学派」と呼ぶ。洪大容（一七三一〜一七八三）、朴趾源（一七三七〜一八〇五）、朴斉家（一七五〇〜？）らがこの系統の代表的人物である（ただし朴斉家の家系は少論派）。

しかしこれら二系統は、一八〇〇年の正祖の死後、一網打尽にされた。その後にかろうじて命脈を保ったのが、清朝考証学の影響を受けた金正喜（一七八六〜一八五六）、李圭景（一七八八〜一八五〇）などの「実学」者で、これを「実事求是学派」という。この系譜は勢力としては強いとはいえなかったが、朝鮮末期の開化派に継承されたという意味できわめて重要な系譜である。金正喜の系統から、朝鮮でほぼはじめての経験主義論者である崔漢綺（一八〇三～一八七九）が出た。彼は気を重視し、理の先験性を否定し、西洋自然科学を取り入れた。

「実学」は併合植民地の時期に唱えられはじめたが、それをもっとも高く評価したのは、解放後の北朝鮮であった。北朝鮮では朱子学を反動封建思想と規定し、理という反動理念を死守した儒者たち（特に李退渓）を徹底的に誹謗した。それに対して「実学」者たちこそ反封建主義・反事大主義・反観念論の唯物論的思想であると高く評価した。韓国でも一九七〇年代から九〇年代までは「実学」が高く評価されたが、その最中でも李退渓や李栗谷などの朱子学者も高く評価されたので、北朝鮮のような完全な二分法にはなっていない。

北朝鮮でも韓国でもまた日本でも、近代化の時期には、朝鮮「実学」を実態以上に反朱子学的な学問であると把握し、記述する傾向が著しかった。あたかも朝鮮時代には、朱子学（虚学）とは全く異なる「実学」なる学問分野があり、その学問を奉じる「実学派」なる学派が存在したかのような言説が流布した。しかしこれは事実ではない。「実学派」という学派は存在しなかったし、「実学」が完全に反朱子学的だと理解することも間違いである。

†近代という問題

近年は韓国でも脱近代の言説が主流になってきているので、近代をめぐる真摯な議論というものはほぼ影をひそめた。だが解放後、二〇〇〇年代までは、韓国の思想的営為のほとんどは、近代というアポリアをめぐる議論であったといっても過言ではない。前項でとりあげた「実学」言説もまた当然、「朝鮮も内発的に近代化をすることができた」という認識の枠組みであった。そもそも、日本の明治維新にとって、薩英戦争（一八六三年）、下関戦争での敗戦（一八六三、六四年）を経験して日本側が大きな危機感を持ったことが急進的西洋化のひとつのきっかけとなったとするなら、朝鮮の開国が遅れたのは、逆に興宣大院君（フンソンデウォングン）（一八二〇～一八九八）の執権時である一八六六年に江華島でフランス軍を撃退し（丙寅洋擾）、同年に平壌で米国の帆船を焼き討ちにし（ジェネラル・シャーマン号事件）、さらに一八七一年にはアメリカ艦隊を江華島で撃退した（辛未洋擾）という「戦勝の自負」に大きく影響された。その後、日本が文明開化の道を驀進し、「遅れた」朝鮮を謝絶したといっても、日本と朝鮮のあいだに「近代化できる／できない」という本質的な能力差があったわけではない、というのが韓国の基本的な視座だ。日本が大韓帝国を併合さえしなければ、朝鮮も内発的に近代化できた、という認識である。

それならば、その内発的近代化の思想的資源はなんであるのか。

北朝鮮の思想史においては、「実学」と東学である。どちらも理と気の二項のうち気を重視するので唯物論であるとされ、また東学は民衆の思想であるし、「実学」は民衆あるいは少なくとも小規模土地所有者の利益を代表する思想であるとされる。これらこそ、朝鮮の誇るべき近代思想であると評価される。

韓国では「実学」であった。だが北朝鮮と異なって東学は長いあいだ、主流の学問界（アカデミア）ではまともに扱われなかった。かつて「東学党の乱」と呼ばれた一八九四年の「甲午農民戦争」の主導陣営が東学の信奉者たちであったことは主流のアカデミアももちろん認めたが、その東学に近代思想の胚胎を認めることはなかった。だが一九八〇年代から、韓国では左派の民衆史観が勢いを得、その結果、東学と近代の関係もようやく認識されるに至った。さらに、北朝鮮とは異なって韓国では、東学に脱近代の思想を見出して、その部分を高く評価するという動きが活発化している。

†北学の軸

数多ある朝鮮「実学」の系譜のなかで、近代との関係でもっとも重要なのは、北学派であろう。東学が、「西洋の学に対して東（朝鮮）の学」という意味であるのに対し、北学は、「北（清）に学ぶ」という意味である。ただ、一九世紀後半に現われた東学に対して、北学は一八世紀後半に現われたのだから、この北学という語は東学への対抗なのではない。一七世紀中葉以降、中央政界で絶大な力をふるっていた老論派の党是である「北伐」への対抗軸であった。明を滅ぼした女真族の清を打ち倒し、道徳的正統性を復活させるというのが北伐である（ただし朝鮮は清に臣従していたので、公的に「清の打倒」をスローガンにできたわけではない）。老論派の北伐は、朝鮮こそ明の嫡統を継承する中華であるという小中華思想と直結していた。

だがその老論派のなかから出てきたのが北学派であった。先述した洪大容、朴趾源、朴斉家がその代表的な論客である。現実とかけ離れた幻想的な国際関係認識にとらわれていた政権中枢部を批判し、「清は野蛮」という認識を捨て、いまや文明的に最先端を行っている清の文物を学ばなければならない、というのが北学派の主張であった。彼らの認識において重要なことは、「人種（その当時にこの言葉はないが、語っている内容はまさに人種である）と文明は一致しない」ということだった。執権老論派は、「明は漢民族なので文明、清は女真族なので野蛮」と考えた。「その野蛮が文明を持つはずがなく、すでにじゅうぶんに文明側にいる朝鮮は、清よりも上位にある」と彼らは考えた。しかし北学派は、燕行使の一員として清に赴いた見聞をもとにして、「清の先進的な文物を学ばねばならない」と唱えた。人種と文明の関係は、「ある人種（たとえば女真族）は野蛮なので文明を持つことができない」とは考えることができず、実際、女真族の国家である清はすでに朝鮮よりずっと高いレベルの文明を実現している。これを見習わずに朝鮮の士大夫たちが無為徒食をしているのは絶対におかしい。これが北学派の主張であり、文明と人種を分離したのである。

北学派は一八〇〇年に彼らを庇護した正祖が急死するや、徹底的に弾圧されてしまった。しかしこの思想は数十年の胎動の時間を経て、朝鮮末期の開化思想に継承された。もし朝鮮が真の意味で内発的な近代化をしたかったのであれば、この「北学の軸」を確固たるものにする以外、手段はなかっただろう。しかし朝鮮は、その道をとらなかった。韓国では自国の一九世紀は一般に、「暗黒」ととらえられている。利用厚生の急進的改革の芽はつぶされ、王の外戚による権謀術数の時間を無駄に過ごした、という歴史観である。

†東学の軸

そこで再評価されるのが東学である。東学は一八六〇年、崔済愚（チエジエウ）（一八二四〜一八六四）が慶州において開いた新しい思想・宗教である。東学は、一八九四年に全羅道において没落両班や農民たちが主体となって起こした甲午農民戦争（かつては東学党の乱と呼ばれた）のきっかけとなり、この蜂起に加わった多くの人びとが東学を奉じていたため、韓国近代史にとって特に重要である。この蜂起は第一義的には朝鮮王朝の地方官僚の収奪と腐敗に対する抗議であったが、これと外国（日本および西洋）の帝国主義的侵略に対する抵抗とが結びついたものだった。そしてこの蜂起が結局は朝鮮半島を舞台とする日清戦争につながる。

東学は、帝国主義的な侵略と腐敗した政治を打倒しようとした思想であり実践であった。この高い道徳性の系譜が、植民地時代の抗日運動、そして解放後の軍人出身政権時代に対する民主化闘争に継承されたと、韓国では認識されている。

近代化が終わったと認識された時点で、韓国人は自民族の思想的資源のなかから「反近代」「脱近代」「もうひとつの近代」を探し出さなくてはならなかった。そして韓国人が「近代は悪の時代」と認識しはじめるかぎり、東学という思想・宗教はかぎりなく魅力的になるのである。したがって近年の韓国では、「東学こそ脱近代の真の思想」という規定が力を得ている。

だがもうひとつ、韓国には、朱子学を「反近代」「脱近代」「もうひとつの近代」の思想と見る視座が、一九九〇年代から社会の表面に急速に出てきた。ここが北朝鮮との違いである。近代化を推進した時代には、韓国でも北朝鮮でも、日本の植民地史観（朝鮮停滞論）の影響も受けて、朱子学は「停滞性」「守旧性」「従属性」「非主体性」「反自由」「反平等」「空理空論」の思想として悪のレッテルを貼られた。だが韓国では、近代化と産業化をすでに達成したと認識されたとき、朱子学こそ道徳的・文明的かつ自然と調和する人間的な思想であると再認識されることとなった。朝鮮王朝の儒教的統治こそが、道徳的に正しい理想的な政治の時代であった、という語りが韓国社会に浸透した。儒教的文人統治の精髄を実現した理想的な姿として、「一八世紀後半の英祖・正祖の時代こそ儒教的理想主義が爛熟した朝鮮王朝の絶頂期だった」という歴史観が、韓国では揺らぎない定説となった。

東学や朱子学が脱近代につながるのは理解できる。韓国のポストモダンは「再プレモダン化」という性格を帯びているからだ。

どういうことだろうか。

先に述べたように、韓国にとって近代とは、輝かしい時代であるとともに、暗黒の時代でもあった。それは、内発的発展の失敗、帝国主義の侵略、植民地への転落、イデオロギーによる分断、軍事独裁、個人主義、自然破壊、資本主義の弊害など、マイナスの遺産の山積みの時代であった。これらのことに対して道徳志向的な裁断をくだすというのが、韓国のポストモダンの性格のひとつである。脱道徳志向的な性格を持っていた日本のポストモダンとは、だいぶ異なる傾向であるといえる。

3 近代における日本との関係

†併合植民地という性格

一九一〇年の韓国併合から一九四五年の日本の敗戦、朝鮮の解放までの期間を、筆者は「併合植民地期」と呼んでおり、その間の朝鮮を「併合植民地」と呼ぶ。なぜなら一方でこの期間の朝鮮は単なる日本の植民地ではなく、日本と併合したからである。また他方で単なる合併・併合でなかったこともたしかであり、植民地的な性格を多分に持っていた。以上の理由により筆者は「併合植民地」という新しい言葉を使っている。

朝鮮はこの時期、「併合植民地」という二重性を帯びた地域だった。このことは、朝鮮が純粋な客体として収奪や暴力的支配だけをされたという歴史記述が虚偽であることを意味する。また同時に、あたかも日本と朝鮮が対等な関係で「合併状態」にあったとする歴史記述も虚偽である。あくまでも支配者側は日本であった。朝鮮は政治的支配という意味では完全な客体であった。だが人間は、劣悪な政治的権力関係のなかでも、おのれの主体性を希求して思想を生み出すものである。併合植民地期には、日本人と朝鮮人とのあいだで、敵対と融合の関係が複雑に作動した。

†抗日・独立・連帯

朝鮮が日本の併合植民地に転落していく過程、および転落したあとに、日本への抵抗および日本からの独立という思想運動が朝鮮で高揚したのはもちろんだ。だが、意外なことに、徹底的かつ一方的な排日の思想は、朱子学原理主義の衛正斥邪思想や初期の東学思想など、むしろ少数派であった。東学も併合植民地化を前後として日本との「妥協」をはかったし、その派生的一派は完全な親日団体となった。

これはもちろん日本による強権支配と暴力的な統治に対応する動きではあったが、解放後の韓国で考えられているような全面的な抗日ではなく、また「やむをえぬ妥協」ともいえないあいまいな立場の思想が多かったのは、事実なのである。その根幹は、西洋勢力東漸と中国の弱体化という現実を目の当たりにして、日本と朝鮮（ないし大韓帝国）が新しい東アジアおよび世界を創造していくために「連帯」すべきだ、という思想である。この事実を、現在の日本人も韓国人も北朝鮮人も、もうすこし正確に認識したほうがよい。

一九〇九年にハルビン駅頭で伊藤博文を暗殺した安重根（アンジュングン）（一八七九〜一九一〇）も、実は明治天皇を尊崇していたアジア主義者であった。世界平和の実現のためには日韓が連帯しなければならないというのがその主張の根幹だが、単なる反日思想というよりは東アジア連帯論であり、日本側にも彼の哲学に共鳴する者が多くいたというのも宜なるかなである。

次項で見る独立宣言書もまた、基本的には日韓連帯論であった。

†独立宣言書

併合植民地は当初、「武断統治」と呼ばれる過酷な支配によって始まった。これに反対し、また米国ウッドロウ・ウィルソンの「一四カ条の平和原則」(一九一八年)における民族自決思想の影響も受けて、朝鮮では一九一九年三月一日に独立運動が起こった。

このときに発表された「三・一独立宣言書」では、「怨恨と憤怒を抱いた二〇〇〇万の民を暴力で拘束することは、東洋の永久なる平和を保障する道ではない」として、「わが朝鮮が独立国であることと、朝鮮人が自主民であることを宣言する。これを世界万国に告し、人類平等の大義をあきらかにし、これを子孫万代に知らせ、民族の自立と生存の正当な権利を永遠に享受せんと」した。

きわめて調子の高い名文であるので、すこし詳しく読んでみたい。

旧時代の遺物である侵略主義・強権主義の犠牲となり、有史以来数千年の歴史上初めて、異民族の圧迫によって一〇年も苦痛を受けている。その間、われらの生存権が剝奪され、霊的発展が妨げられ、民族の尊厳と栄光を毀損され、新しき鋭敏さと独創力によって世界文化の大潮流に寄与する機会が失われた。

今日朝鮮の独立は、朝鮮人に正当なる生存と繁栄を成さしめると同時に、日本にも間違った道から脱して東洋を支える者としての重大な責任をまっとうさせるのであり、支那には寝ても覚めても抱く不安と恐怖を除去させることになり、東洋の平和がその重要な一部である世界平和と人類幸福にとって必要な階段となるであろう。これがどうしてつまらない感情の問題であるだろうか。

丙子修好条約以来、盟約を数多く裏切った日本の信義の欠如を責めたいのではない。学者たちは講壇において、統治者たちは政治の実際において、われらの先祖が築き上げてきた伝統を植民地化し、文化民族であるわれらを野蛮民族であるかのように扱ったが、これは征服者の快感を貪っているだけである。日本がわれらの久遠なる社会基盤と卓越した民族の心性を無視するといって、日本の義の欠如をたしなめるわけでもない。自らを奮い立たせるのに忙しいわれらは他者を恨んでいる遑（いとま）もない。（中略）われらは自己を建設するのに邁進するのであって、決して他者を破壊しようというのではない。厳粛なる良心の命令にしたがって自らの新しい運命を開拓しようとするのみであり、決して古い怨恨と一時的な感情によって他者を妬んで追い出そうというのではない。古くさい思想と古くさい勢力にしばられている日本の政治家たちの犠牲になって不自然かつ不合理な錯誤状態を改善し、自然と合理の営みの大本に帰らせるのだ。

怨恨と憤怒を抱いた二〇〇〇万の民を暴力で拘束することは、東洋の永久なる平和を保障する道ではない。これにより東洋の安全保障の主軸である四億の支那人が日本に対する危惧と猜疑心を増大させ、その結果東洋全体がともに倒れ同じく亡びる悲惨な運命になることはあきらかである。

新しい天地が目の前にひろがっている。武力の時代が終わり、道徳の時代が到来しつつある。過去全世紀のあいだ錬磨し育ててきた人道的精神がまさに新しい文明の曙光を人類の歴史に投射しはじめた。(中略)われらが本来持つ自由権を守り、生命の旺盛な楽しみを心から享受するのであり、われらにそなわった独創力を発揮して春の天地に民族的精華を花咲かせるであろう。

さらに詳しく知るための参考文献

古田博司・小倉紀蔵編『韓国学のすべて』（新書館、二〇〇二年）……儒教や仏教だけでなく、朝鮮の思想・文化・社会の全般を知るための入門的・網羅的な本としてはこれがおすすめである。思想・哲学をより立体的・多角度的に理解できるようになる。

小倉紀蔵『朝鮮思想全史』（ちくま新書、二〇一七年）……朝鮮思想を通史的に理解するための入門的な本がこれまで日本にはなかったので書いた本である。まずはこの本で朝鮮思想史の大雑把な流れと重要なイシューを頭に入力していただきたい。ただ、「登場する人名がみんな似ていて覚えにくい」という読者の声がある。われわれが朝鮮思想に接近しづらい理由のひとつといえるかもしれない。朝鮮人の人名に慣れることが必要である。

姜在彦『朝鮮儒教の二千年』（講談社学術文庫、二〇一二年）……朝鮮思想研究の泰斗が書いた、朝鮮儒教の通史である。いわゆる「実学」を重視する立場の著者であるが、「実学」でない朱子学についてもきちんとした理解を得ることができる。また同じ著者による朝鮮キリスト教・西学や朝鮮近代思想についての本も、おすすめである。

韓亨祚著、片岡龍監修、朴福美訳『朝鮮儒学の巨匠たち』（春風社、二〇一六年）……韓国における儒学研究のニューウェーブの旗手による読みやすい本。伝統的な実証研究を超え、「朝鮮儒学を現代的手法で哲学するとどうなるか」という実験を華々しく繰り広げている著者は、朝鮮朱子学や「実学」などに関して、読みごたえのある創造的な議論を展開する。

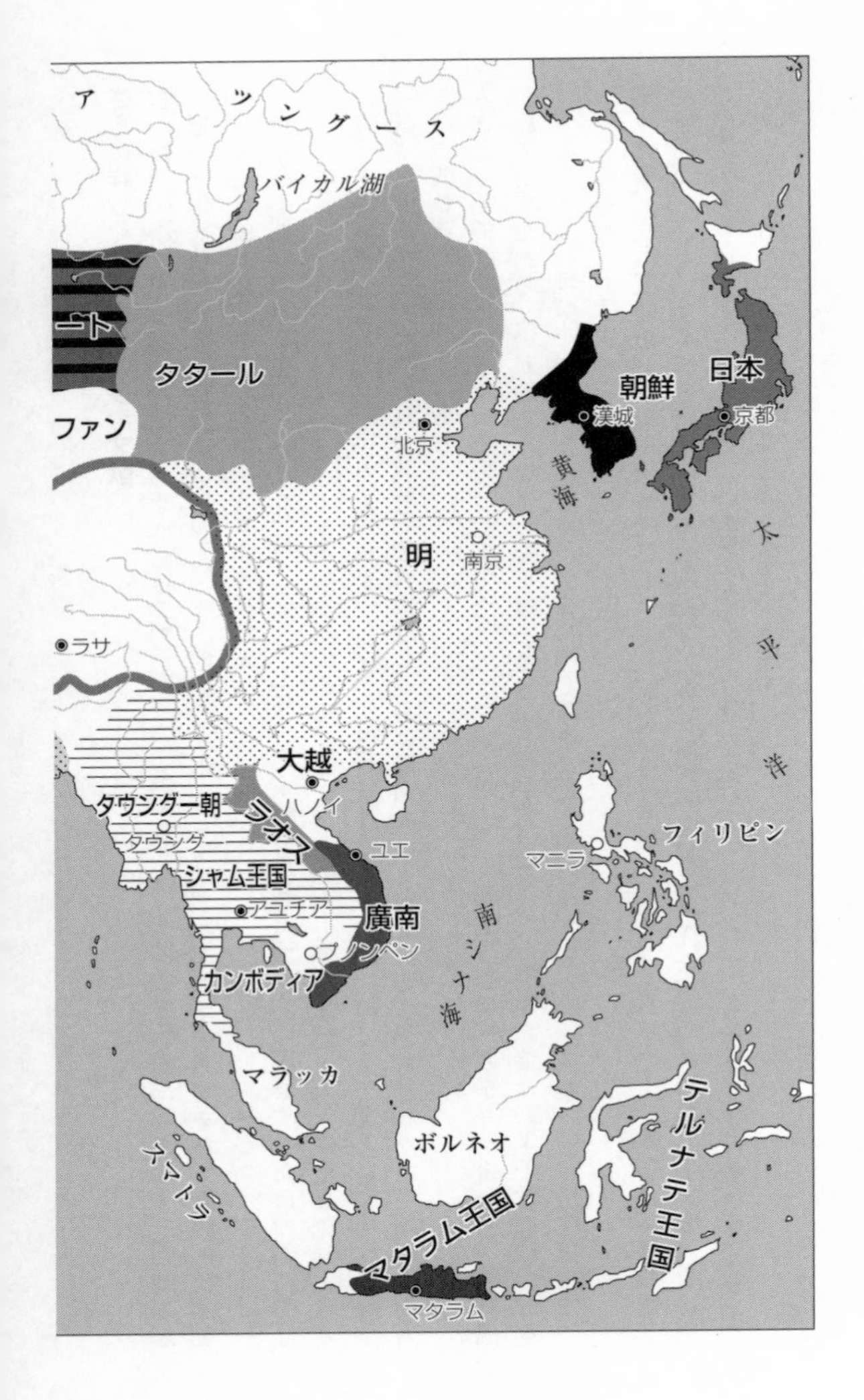
アツングース
バイカル湖
ート
タタール
ファン
北京
朝鮮
漢城
日本
京都
黄海
明
南京
ラサ
太平洋
大越
ハノイ
タウングー朝
タウングー
ラオス
ユエ
シャム王国
アユチア
廣南
プノンペン
カンボディア
フィリピン
マニラ
南シナ海
マラッカ
スマトラ
ボルネオ
テルナテ王国
マタラム王国
マタラム

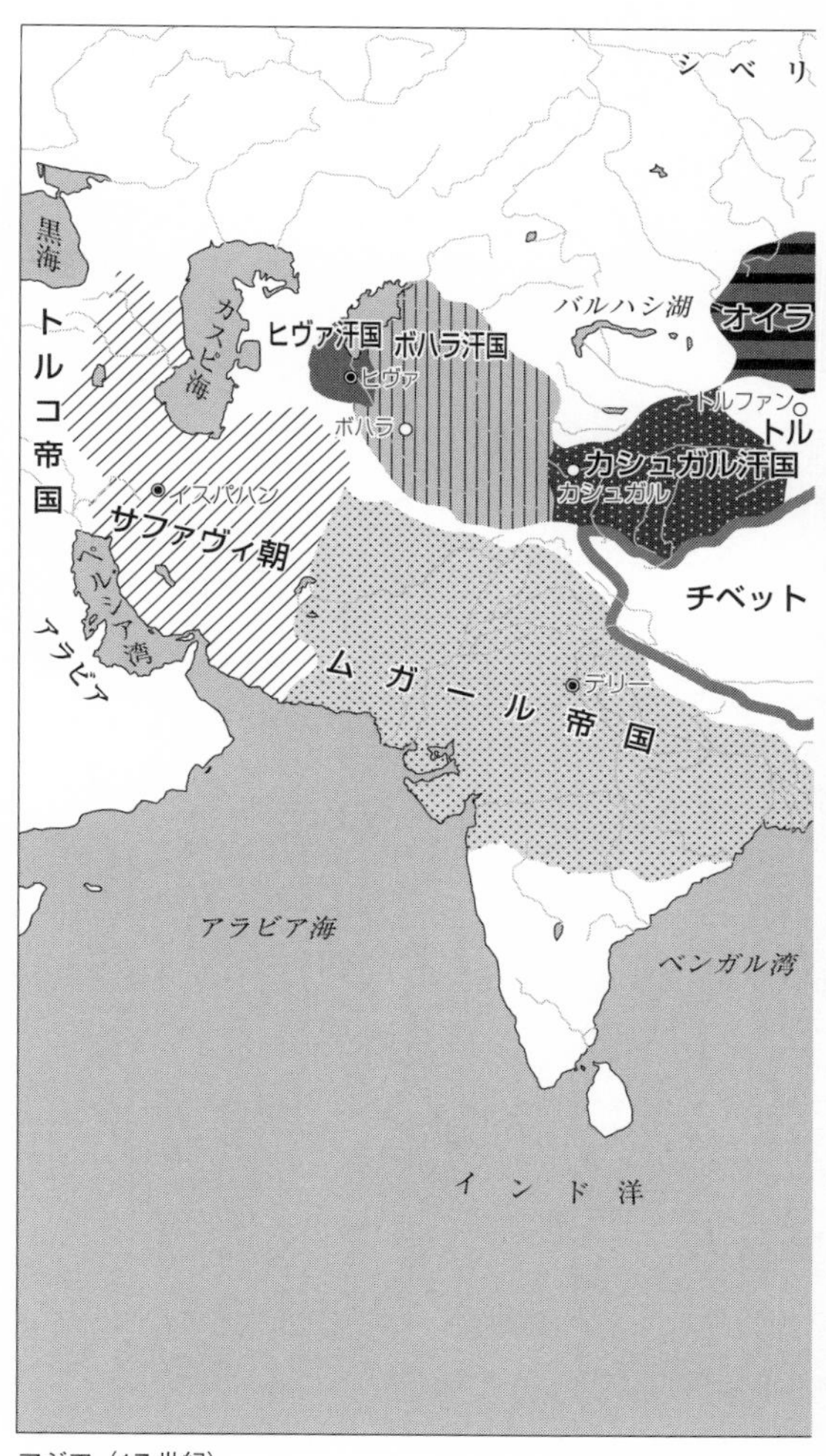
シベリ
黒海
トルコ帝国
カスピ海
ヒヴァ汗国
ボハラ汗国
ヒヴァ
ボハラ
バルハシ湖
オイラ
トルファン
トル
カシュガル汗国
カシュガル
イスパハン
サファヴィ朝
ペルシア湾
アラビア
チベット
ムガール帝国
デリー
アラビア海
ベンガル湾
インド洋

アジア（17 世紀）

第9章

明時代の中国哲学

中島隆博

1 元から明へ

一三世紀にはユーラシアにまたがる帝国が成立した。モンゴル帝国である。大ハン位に就いたフビライは、モンゴル帝国の東方に勢力の重心を置いており、一二七一年に正式な国号を大元（だいげん）と定めた。それを中国王朝の慣例にならって一字で表現したのが、元という王朝であるが、後の明や清もまた自らを大明（だいみん）や大清（だいしん）と呼ぶようになっていった。元は、一二七九年に南宋を完全に滅ぼすことで、唐以来の中国統一王朝となった。この間、モンゴル帝国がユーラシアにまたがっていたために、キリスト教やイスラームといった西方の宗教や哲学が中国に伝わってきたことには注意をしておきたい。

元の中国支配は長くは続かなかった。支配者層内部での主導権争いに加えて、一三三〇年頃から頻発した飢饉によって社会不安が増大したことで、統治が揺らぎ始めたのである。その時期に、民衆の間に広まったのが白蓮教である。これは、盧山の慧遠（第2巻第6章を参照）が始めた白蓮社という浄土教結社に由来するとされ、七世紀末の唐代に中国に入ったマニ教（第2巻第7章を参照）とも融合しながら、南宋の時代から広がっていた宗教運動である。したがって、その特徴は浄土教の側からは「弥勒仏下生」すなわち救済の仏としての弥勒仏がこの世に出現するというメシア信仰と、マニ教の側からは明王が世界の暗に打ち勝つという二元論をあわせ持つことになる。つまり、明王としての弥勒仏がこの世に浄土を実現するという宗教的かつ政治的な運動となったのである。

その白蓮教徒の乱である紅巾の乱（一三五一～一三六六年）で頭角を現したのが、朱元璋（一三二八～一三九八）である。元を北方に追いやり、中国全土を統一していく中で、一三六八年に皇帝の座に就き、国号を大明とした。マニ教が「明教」とも呼ばれていたので、明はマニ教に由来する国号だという意見もあるが、実際には、朱元璋は後に白蓮教を邪教として退け、儒教に基づく国家形成を行っていった。

2　陽明学の展開

元においても科挙は実施されており、その中心は朱子学であり続けていた。明においては朱子学の体制化がさらに進み、科挙では朱子学の解釈のみが採用されるまでになった。唐の『五経正義』に倣って、朱子学に基づいた解釈を集成した『五経大全』『四書大全』『性理大全』が編まれたのが一四一五年であり、これらがその後の科挙の標準的な解釈となったのである。こうした朱子学一強とでもいうべき状況に変化をもたらしたのが、一五世紀末に登場した王守仁（陽明、一四七二〜一五二八／一五二九）が切り開いた陽明学である。

†弱い独我論

陽明学の特徴を一言で言うならば、独我論ということになるだろう。とはいえ、それはかなり独特な独我論である。たとえば、次の引用を見てみよう。

> 先生が南鎮に遊んだ。ある友人が岩中の花樹を指して尋ねた。「天下には心の外に物はなしと言っているようだが、この花樹のように、深山の中でひとりでに花開きそして散っていくものは、わたしの心と何の関係があるというのか」。
> 先生は答えた。「君がこの花を見ていなかった時、この花は君の心と同じく寂に帰している。君がやってきてこの花を見る時、この花の顔色が一時に明らかになる。つまり、この花はあなたの心の外には存在しないことがわかる」。（王陽明『伝習録』）

「この花はあなたの心の外には存在しない」。陽明学は別名「心学」とも呼ばれているが、この引用を見る限り、まさに心にもとづく独我論が展開されているように見える。しかし、どの独我論もそうであるように、その主張は必ず誰かに対して向けられている。もし純粋な独我論があるとすれば、それは誰かに何かを主張することなど必要としないはずだ。ここで陽明は友人と会話をしており、独り言をつぶやいているわけではない。二人は一緒に深い山の中で木に咲く花を見ながら、この議論を行っているのだ。いったいこの二人の心はどうなっているのだろうか。

「この花はあなたの心の外には存在しない」と述べる際、陽明は友人の心を何らかの仕方で理解している。心には他人による了解可能性が備わっているのだ。もし陽明が強い意味での独我論者であれば、「この花はわたしの心の外には存在しない」と述べる方がまだましである。ところが、陽明は「あなたの心」と「あなたの心の外」という仕方で、独我論の限界にすでに触れてしまっているのである。

そうすると、陽明の立場はある種の弱い独我論だと言った方がより適切かもしれない。実在の認識がそれぞれの心に強く依存していて、心が成立すれば、その認識を通じて、実在が成立する。別の角度から言えば、この構造は、誰にとっても普遍的に妥当するものであり、しかもこの構造自体は心に依存してはいない。

しかし、なぜ実在の成立が心の成立に依存しているという構造が、誰にでも普遍的に妥当すると言いうるのだろうか。「あなたの心」や「あなたの心の外」という難問が、必ずしも難問にならない仕掛けはいったい何なのだろうか。次の引用を見てみよう。

†人の良知

人の良知（りょうち）は、まさしく草木瓦石（そうもくがせき）の良知である。草木瓦石に人の良知がなければ、草木瓦石となることはできないはずである。草木瓦石だけがそうではない。天地もまた人の良知がなければ、天地となることができない。思うに、天地万物と人はもともと一体である。その感覚器官の最も精妙なものが、人の心の霊明である。（同前）

「天地万物と人はもともと一体である」。もしそうであれば、「あなたの心」もまた「わたしの心」と「一体」のはずであるから、それぞれの心において成立する実在という構造は普遍的であることになる。要するに、「わたしの心」の外部とは何かという問題を、この「一体」という概念によって消去しているのだ。そして、その「一体」を支えているのが「良知」という知である。これはもともとは『孟子』の概念であるが、陽明はそれを、知性的な判断の手前にある知として理解し、「草木瓦石」や「天地」にも備わっているとまで主張したのである。「草木瓦石に人の良知がなければ、草木瓦石となることはできない」と述べられるように、「良知」は個々の事物にとっての存在根拠である。そうすると、万物と人が一体であるのは、「良知」がすべてを貫徹し、個々の事物に「理」（意味）を与えている、すなわち「それとして」あらしめているからだ、ということになる。

とはいえ、陽明は「人の良知」と述べているのであり、「草木瓦石」がそれとして成立するには「人の良知」が必要だと考えていることには注意しておこう。別の言い方をすれば、「人の良知」を離れて「草木瓦石」がそれとして成立するとは考えていないのである。もし「草木瓦石」に「人の良知」ではない「草木瓦石の良知」を認めるのであれば、さきほどの「岩中の花樹」の議論も変化して、人間の方が「岩中の花樹」の心の内に成立するという議論をしてもかまわないことになるだろう。しかし、陽明がこの方向に行くことはなく、あくまでも良知は「人の良知」でなければならない。

†外部を消去せよ

陽明にとって良知は、「自知(じち)」すなわち「自ら知る」という自己再帰的なもので、外の他者に関わるあり方をしてはならないものであった。それは陽明の朱子学批判の根本に関わる問題であった。朱子学は「窮理」すなわち理という意味を完全に把握したいという欲望に基づいていた（詳細は、第4巻第8章での「格物窮理」の議論を参照のこと）。したがって、朱熹はその「格物致知」を論じるにあたって、外にある物の意味を知り尽くそうとした。しかも、その物にはテキストも含まれているために、朱熹は全力を挙げて、四書五経といったカノン（経典）の意味を解釈してみせようとしたのである。

とはいえ、この朱熹の考え方には困難があった。外の物の意味を知り尽くしたとしても、それが「誠意」や「正心」といった内における自己啓蒙をはたして支えることができるのか、という困難である。朱熹は理が心の内と外との両方に同時に属していることを利用して、この困難を乗り越えようとしたのだが、陽明はそれに不満であった。陽明は朱子学を批判して、それは心の外に別に理を立てるもの、外を務めて内を忘れるものだと断じたのである。それに代えて、陽明は、理の根拠はあくまでも心の内になければならないと考えた。心がとりもなおさず理であるとする「心即理」を強調したのはそのためであった。

そして、その心の内での意味の根拠のあり方が良知であった。だからこそ、陽明にとって良知は、外に訴えない「自知」でなければならない。また、外はあくまでも内の拡大として現れなければならず、理という意味は、わが心の良知を物に致したもの、すなわち内において根拠づけられた意味を外の物に付与するという仕方での「格物致知」で理解されなければならなかった。

ところが、このように良知を通じた「万物一体」をいったん認めてしまうと、朱熹が格闘していた外部が消去され、理という意味が内部において容易に充填されてしまうために、朱子学が担っている政治や倫理の根拠づけがそもそも不要になる。陽明学は結局は姿を変えた禅ではないかという批判がしばしばなされてきたが、そこには仏教的な善悪の彼岸に行き着きかねない構造がつきまとっているのである。

†無善無悪

こうした陽明学の問題含みの構造が明確な形で現れたのは、銭徳洪（一四九六～一五七四）と王畿（龍渓、一四九八～一五八三）という陽明の高弟二人による無善無悪論争においてであった。その発端は、陽明がその教えを定式化した「無善無悪が心の体、有善有悪が意の動、善を知り悪を知るのが良知、善をなして悪を去るのが格物」という四句教の解釈にあった。

銭徳洪はこれをそのままに理解し、心の本体は無善無悪であるにしても、意すなわち思いの中には善悪が現れるのだから、善をなして悪を去るためには、「格物致知」や「誠意」、「正心」、「修身」といった実践的な努力が必要だと考えた。

それに対して、王畿は、これは「権法」すなわち状況に応じて変化する考え方であって、本来的には心・意・知・物は一つであるはずだから、意にはそもそもは善悪などないと主張した。陽明の心の概念を徹底していけば、善悪の彼岸に行き着くということを明らかにしたのである。

この論争に対して、陽明は、「利根の人」や「上根の人」に対しては、王畿の見解がふさわしく、「中根以下の人」に対しては、銭徳洪の見解がふさわしいと裁いた（『天泉証道記』）。陽明にとっては、二つの議論が相反するものであっては困るものだったからである。それでも、ここには根深い問題が残る。中国仏教は「漸悟」（段階を追って悟る）なのか「頓悟」（一挙に悟る）なのかを問い続けてきたが、宋代以後に禅が中国仏教の前景を占めるようになると、この問いはますます重視されるようになり、悟りのあり方だけでなく、「漸修」（段階を追って修行する）なのか「頓修」（一挙に修行する）なのかという実践のあり方にも大きな関心が寄せられるようになっていた。銭徳洪と王畿の対立は、このような仏教の問題系も継承したものであったがために、陽明の裁定は単に四句教の解釈の妥当性に止まらず、仏教と儒教の目指すべき方向性に関わっていたのである。

荒木見悟はこの問題を『仏教と儒教』において、つとにこう述べていた。

良知説が当下一念の全体超脱のみを標榜して、もろもろの漸修の工夫を軽蔑拒否するならば、その**高さ**は表明せられても、その**広さ**は制限され、やがて歴史的現実から浮き上った、孤高(ここう)独善(どくぜん)、放逸(ほういつ)にして忌憚(きたん)なき偏僻(へんぺき)を生み出すに至り、ついには良知の本来的生命を殺すこともなりかねないであろう。（荒木見悟『新版　仏教と儒教』、研文出版、一九九三年、四二〇頁、強調は荒木によるもの）

良知に訴える陽明学は、その探究の場所を、物ではなく心に定位することで、理へのアクセスを格段に容易にしようとした。それは、朱子学の「理を窮める」やり方が要請する、複雑で時間のかかるプロセスへの批判であったはずだ。ところが、その良知には、かえって他者を欠いた「孤高独善」に陥る傾向があり、無善無悪という「高さ」に自己満足してしまうと、朱子学以上にエリート主義に閉じてしまいかねない。だからこそ、陽明学は「漸修の工夫」を何としても維持しなければならない。王畿と銭徳洪の立場が同時に成立しなければならないゆえんである。そうすることで、陽明学ははじめて、より多くの人々に受容される「広さ」を獲得できたのである。

†王艮

その後、陽明学は王艮(おうごん)（心斎(しんさい)、一四八三〜一五四〇）に始まる泰州(たいしゅう)学派によって、その「広さ」

を一挙に拡大していく。王艮は塩の製造と商売に関わっていた人で、士大夫に属していたわけではなかった。しかし、若い時に見た夢の中で救世済民の理想に目覚め、「百姓」すなわち一般の人々にも届く学問を構想するようになる。その後王陽明と出会い、大いに感化される一方で、陽明とはしばしば衝突しながら、儒教のテキストを従来の解釈にこだわらない自由な仕方で解釈するようになる。それを「講学」と言い、そこには誰でも参加でき、自由な討論がなされたのである。

王艮の哲学の特徴は「百姓日用の学」すなわち一般の人々がその日常において道の実践を行う学を主張したことにある。その根拠として、「愚夫愚婦といった一般の人々もそれを知り行うことができるのが道である」（『王心斎語録』）とか、「聖人の道は百姓に異ならない」（同前）という命題を掲げたのである。

そして、その哲学は次のような結論に至る。

明哲保身は良知良能である。慮らずして知り、学ばずしてできるということである。人は誰もがこれを有しており、聖人もわたしと同じである。保身を知るものは必ずおのれの身を愛することと宝のようにする。自分の身を愛することができれば、他人を愛することができないわけはない。他人を愛することができれば、他人は必ずわたしを愛してくれる。他人がわたしを愛してくれれば、おのれの身を保つことができるはずだ。（中略）以上が仁であって、万物一体の道である。（中略）君子の学は己を基準にして他人を度る。（王心斎「明哲保身論」）

「己を基準にして他人を度る」とあるように、ここでは自己が明らかに競り上がってきている。これは弱い独我論としての陽明学の一つの到達点でもあるのだろう。しかし、清初に黄宗羲（一六一〇～一六九五）がそれを「禅と小人の恐れ憚ることを知らぬ学」（黄宗羲『明儒学案』巻三二「泰州学案」）と批判したように、独断の危険も大いにあったのである。

†李贄

王艮が始めた泰州学派の哲学を、もっとも遠くまで推し進めたのが李贄（卓吾、一五二七～一六〇二）である。「今日の是非は、私、李卓吾一人の是非であると言ってよい」（李贄『蔵書』）とか、「私が千万世の是非を転倒して、私が是非だとするものを是非にしてもかまわない」（同上）といった主張は、実に印象的なもので、王艮を継承するものである。ところが、李贄はさらに進めて、是非に関しては定まった基準などなく、「孔子の是非」も一つの是非にすぎないとまで述べた（同上）。つまり、独我論を突き抜けて、規範の相対性や変更可能性にまで踏み込んだのである。

とはいえ、李贄は単なる価値相対主義者ではない。「そもそも私が人の心である。人には必ず私があって、その後心が現れる。もし私がないとすれば、心もないはずだ」（同上）と述べて、私利私欲を備えた「私」に根拠を置かないような議論、たとえば「無心の論」や「無私の説」を、「画餅の談」であって取るに足らないと切って捨てたからである（同上）。私利私欲としての「私」を再定義して、そこに新しく規範の根拠を見出すこと。これが李贄の挑戦であった。

では、私利私欲の中核は何であったのか。李贄にとって、それは衣食への欲望といった人間の生に関わる根源的な欲望であった。「服を着ること飯を食らうことが、まさしく人倫物理である。それを除いて人倫物理などない」（李贄『焚書』）。注意したいのは、これは単純な欲望肯定ではないということだ。「服を着ること飯を食らうこと」という衣食への欲望に深く根ざすためには、「真の空」を知る努力が必要だというのである（同上）。そうした知性的な努力があってはじめて規範に真に従うことができる、と考えたのである。

> 明察して真空を得れば、仁義によって行うことになるが、明察しなければ、仁義を行うことになり、支離に陥って自ら覚ることはない。（同上）

これは、ウィトゲンシュタインの「規則に従うパラドックス」を彷彿とさせる命題で、「明察」

という知性的なはたらきを欠いてしまうと、「私」において構成された仁義という規範に従っているると信じているだけになり、支離滅裂になりかねない、というのである。そうではなく、「私」から何らかの仕方で——たとえば「明察」によって——出ることによってはじめて、仁義に従うことができるのだ。要するに、李贄は、「私」に徹底的に深く根ざすことによって、かえって、朱子学—陽明学的な内への旋回を突破し、ある種の公共空間を外において開こうとしたのである。

†東林党と公共空間

公共空間をどう構想するのか。この問いは、明末において重要な位置を占めるようになった。それを主として論じたのが、東林党もしくは東林派の人々である。彼らは顧憲成（こけんせい）（一五五〇～一六一二）が再興した東林書院に集い、政権の中心にいた魏忠賢（ぎちゅうけん）（一五六八～一六二七）と政治的に対立し、弾圧を被った。

東林党は朱子学を恢復するとともに、銭徳洪の系譜にある陽明学を継承することで、内に還元できない外の問題、すなわち公共空間について思考した。その公共空間における重要な担い手は、一般の人々である。彼らは泰州学派を批判したものの、そこで提出された一般の人々という、新しい外の次元は継承したのである。

公共空間論の重要な議論は、繆昌期（一五六二～一六二六）によってなされた「公論」論である。繆昌期は、明末に顧憲成のもとで講学していたが、魏忠賢の弾圧によって獄死した人物である。

そもそも、天下における議論は、是か非かの両極以外には出ない。一人が正しいと言えば一人が非とし、一人が間違いだと言えば一人が是とするような議論は、「異」と言い、「公」とは呼ばない。一人が正しいと言えばみなが是とし、一人が間違いだと言えばみなが非とするような議論は、「同」と言い、「公」とは呼ばない。公論は人心の自然なあり方から発するもので、そうならずにはいられない傾きがあるかのようである。だから、天子でも高官や士大夫から奪い取ることはできず、高官や士大夫でも「愚夫愚婦」という一般の人々から奪い取ることはできない。（繆昌期「公論国之元気」）

国における正しさばかりは、人々の心の自然から発して、誰もが同じように発言することにおいて形成される。とすれば、君主には握れないで、廷臣の手に握られ、廷臣には握れないで、天下の「匹夫匹婦」すなわち一般の人々の手に握られているのだ。（繆昌期「国体・国法・国是有無軽重解」）

繆昌期は、是非の判断の根拠を、一般の人々の言論である「公論」に求めた。これが李贄の問題系を別の仕方で反復したものであることは明らかだろう。こうした「公論」の議論は、すでに泰州学派への批判において言及した黄宗羲にも継承されている。

黄宗羲の著である『明夷待訪録』（一六六三年）の冒頭に置かれた原君篇にはこうある。

人間がこの世に生まれた当初、それぞれ自私・自利をはかっていて、天下に公利があってもそれを振興する者はなかったし、公害があってもそれを除く者はなかった。そこに、ある人が現れて、自分の利を利とせず、天下にその利を受けさせ、自分の害を害とせず、天下にその害を免れさせた。（中略）ところが、後世の君主はそうではない。天下の利害の権限はすべて自分にあり、天下の利はことごとく自分のものにし、天下の害はことごとく他人に帰してもかまわないと考えるのである。天下の人が決して、自私・自利をはかれないようにし、自分の大私を天下の大公と見なすのである。（黄宗羲『明夷待訪録』「原君」）

理想的な君主は、人々が自私・自利を追求することを認めた上で、さらにそれを超えた「公利」を実現する者である。ところが、後世の君主は自分の「大私」を実現することに躍起になっていて、人々の自私・自利を妨げている。「そうであれば、天下の大害は君主にほかならない。もし君主をなくせば、人々は自私・自利を得ることができるだろう」（同上）。ただし、黄宗羲は、君主をなくしてしまえばよいと結論づけているわけではない。やはり、君主が理想的には果たしていたはずの機能である、「公利」の実現は望まれているからだ。したがって、君主自らが本来の「君主の職分」を明らかにすることと、さらに君主の権力をチェックする機構として臣下や法、宰相、学校といった制度を要請したのである。その中でも学校は重要で、天子一人が是非を決定するのではなく、学校という公共空間において「士」が是非に対して下す「公」の判断を待つべきである、と考えたのである。

『明夷待訪録』は清初に完成したが、乾隆帝によって禁書に指定された。その題名は『易』の「明夷（めいい）」という卦に由来し、それ自体は「明るさが夷（やぶ）られる」という意味であるが、その含意は、王朝としての明が滅亡した後に到来する理想的な世界を待望するというものであったからだ。禁書になったわけである。冒頭に述べたように、明という国号にはマニ教との関連で「明るさ」を読み取ることもできなくはなかったのだが、清代においても『易』を経由して、再び回復されるべき「明るさ」という意味を有していたのである。

3 キリスト教とイスラーム

明時代の中国哲学の特徴として、キリスト教やイスラームといった西方の宗教や哲学との対峙があるということに、最後に触れておきたい。泰州学派の李贄は、マテオ・リッチ（一五五二～一六一〇）と面識があったために、キリスト教に対しても知見を有していたし、近年ではムスリムの家系の出身ではないかとも考えられている。そのような背景があったからこそ、伝統的な儒教規範を墨守するのとはまったく異なる態度を取ることができたのだろう。

では、具体的にはどのような対峙があったのだろうか。ここでは、マテオ・リッチと中国の仏教徒との論争、そしてイスラームと中国哲学を融合した「中国イスラーム哲学」について見ておきたい。

†キリスト教と仏教の論争

イエズス会による中国布教の中で、哲学的に重要な焦点の一つになったのは仏教の殺生戒（せっしょうかい）（生き物を殺すことを禁じる戒律）であった。明において仏教は衰退の一途を辿っていた。その中で、雲棲袾宏（うんせいしゅこう）（一五三五～一六一五）は一般の人々に仏教を浸透させることによって、仏教の中興の祖の一人となった。そしてその布教の中心にあったのが殺生戒であった。僧侶や篤信の仏教徒に限定されていた不殺生や放生（捕らえた生き物を放すこと）を、時と場合に応じて遵守すればよいとして、一般の人々でも守りやすい規範にして仏教の民衆化をはかったのである。

ところが、リッチはその殺生戒を批判した。イエズス会の戦略として、儒教や道教を批判するよりも、仏教を批判してそれをキリスト教に入れ替えようとしたことがその背景にはあったのだろう。リッチの論拠はアリストテレスに由来する魂の三つのあり方にあった。すなわち、生命を維持し成長を助ける「生魂」、感覚器官で知覚することができる「覚魂」、事物を推論し理義を弁別する「霊魂」という序列である。それぞれが植物、動物、人間に対応している（リッチの魂論に関しては、本巻第5章を参照のこと）。

重要なことは、リッチが、こうした魂の序列は固定的であると主張し、それを殺生戒に対する批判の論拠としたことである。リッチは「殺生を戒める道理などない」（マテオ・リッチ『天主実義』）と述べる。なぜなら、動物は人間と「魂を異にする」ので、財貨と同じように扱ってもいいし、人間のためであれば殺してもかまわないからだ。ところが、仏教徒は殺生戒を擁護するために、輪廻を説き、序列づけられている魂のジャンルを越えて、他なる魂に変化することを認めてしまっている。

> 人の体の状態が鳥獣と異なるとわかっている以上、人の魂がどうして鳥獣と同じということがあるだろうか。したがって、人の霊魂が別の人の体にやどったり、鳥獣の体に入ったりして、世の中を転生するなどという仏教の説がまったくでたらめであることがわかる。そもそも人間は、自分の魂は自分の体にのみ合致するもので、自分の魂が他者の体に合致するなどということはない。まして別の種類の体においてはいうまでもない。（同前）

ここに示されているように、リッチは魂が別の体にやどることを実に危険な考えだとしている。しかも注意深く読むと、ここでは魂がジャンルを越えて混交することだけが退けられているのではなく、人間に限っては、他者と混交することもまた退けられているのである。

　これに対する仏教徒側の反論は興味深い。第1巻第4章や第2巻第6章で見たように、六朝時代の仏教徒は、魂の混交の可能性にもとづいて議論を立てていた。ところが、明時代の仏教徒はそのような議論によって反論をしようとはしなかった。その代わりに、殺生戒を何としても擁護する論陣を張ったのである。

　雲棲袾宏は、「殺生は、天下古今の大過大悪である。断じて行ってはならない」（雲棲袾宏『竹窓随筆』）という主張を繰り返した。それ以外では、羅川の如純（生没年不詳）は、「その生きた姿を見るとそれが死ぬのを見るに忍びず、その声を聞くとその肉を食べるのに忍びない」（『孟子』梁恵王上）という『孟子』の一節を引いて、「もしも天が禽獣を生じさせたのが、わたしが殺しわたしが食べるためであれば、どうして聖賢はこうした一時的でも忍びざる思いを踏襲していったのだろうか」（如純「天学初闢」）と述べた。同様に、費隠通容（一五九三～一六六一）は、「禽獣を裂いて霊魂を有していないと言うのは、口腹に供応して、人が恣に殺すようにするためであって、まったく忍びざるの徳がない」（費隠通容「原道闢邪説」）と述べたのである。

こうした反論はリッチの立論に対して、十分に有効な批判とはならなかったかもしれない。それでもリッチとて欲望のままに振る舞い、欲望を制限しようとしない「世人」を肯定していたわけではない。

> 世人の災いはほかでもなく、心が病んで徳の良い味を知らないことだ。その味がわかれば、美食を軽視でき、自分で徳の楽しみを得ようと言うだろう。徳と美食の二つの味は、互いに人の心に出入りするもので、同時には住むことのできないものだ。徳の味を心に入れようと思うなら、まずは美食の味を心から出さなければならない。（『天主実義』）

李贄がそうであったように、リッチもまた食べる欲望について考えざるをえなかったのである。そして、この点では、殺生戒を通じて肉食を批判した雲棲袾宏とも、問題系を共有していたのである。

†中国イスラーム哲学

明時代の中国哲学の最後に見ておきたいのは、「中国イスラーム哲学」である。この概念は、堀池信夫『中国イスラーム哲学の形成――王岱與研究』（二〇一二年）で展開されたもので、その中には李贄をムスリムとして理解しようとする方向も含まれている。それでも「中国イスラーム哲学」の中心にあったのは、副題に示された王岱與（おうたいよ）（生没年不明）であった。一六世紀末から一七世紀中葉にかけて活躍したので、明末清初期の人物である。堀池はその哲学の核心をこのように表現した。

そこで王岱與がめざしたのは、まずはそういった先行教理書の誤謬を破砕し、アッラーは中国伝統の諸形而上概念とは異なる、それ以上の、はるかに超越的・絶対的なもの、いわば超―超越的なものであることを弁証することであった。さらに、にもかかわらず、中国伝統の諸形而上概念はすべてが否定され葬り去られてしまうべきものではなく、むしろ超絶的アッラーのもとにおいて、この世界が具体的に存在するための超越者として（いわば中間的・相対的超越者として）意味を持っていること、そのことの弁証もあわせて重要な問題であった。（堀

池信夫『中国イスラーム哲学の形成——王岱與研究』一六五頁）

つまり、王岱與は、彼以前の中国におけるイスラーム哲学がアッラーの超越性を中国の形而上学が予想する超越性と混淆してしまっていたことを批判し、それを「超—超越的なもの」として措定し直し、同時に、中国の形而上学的な諸概念を、世界に関わる相対的な超越として取り込んだというのである。

「超—超越的なもの」としてのアッラーは「真一」とも呼ばれる。これは道教に由来する概念である。それに対して、世界に関わる相対的な超越は「数一」と定義される。ではこれら二つの「一」はどのような関係なのだろうか。この問いに対して、王岱與は『大学』の八条目の概念を利用して説明を試みた。

主と僕が区別され、真一と数一が定まると、明徳の源がはじめてわかる。明徳の源がわかれば、明徳を明らかにできる。明徳が明らかになれば、真に知ることができる。真に知れば、己を知ることができる。己を知れば、心が正しくなる。心が正しくなれば、意が誠になる。意が誠になれば、舌が定まる。舌が定まれば、身を修めることができる。身を修めれば、家が斉う。家が斉うと、国が治まる。（王岱與『清真大学』）

丁小麗（ていしょうれい）によると、「明徳の源」は「イーマーン」すなわち信仰であり、「舌が定まる」とは「シャハーダ」すなわち信仰告白であるという（丁小麗「回儒思想の研究――「原回儒」としての王岱與と『清真大学』」、『東京大学宗教学年報』三六、二〇一九年、七九〜八〇頁）。はたして王岱與の説明が成功しているかどうかは難しいところではあるが、ここでイスラームと中国哲学とりわけ朱子学が融合されようとしていることは見て取れるだろう。何よりも『清真大学』という書名に、それはよく表現されている。なぜなら、「清真（せいしん）」すなわちイスラームと「大学」すなわち朱熹が四書の一つとした『大学』の複合語だからである。

さらに、王岱與はマテオ・リッチの『天主実義』を模倣して『正教真詮』を著したとも言われているし、『希真正答』には儒仏道の三教とイスラームそして世俗の人々の間での問答が収められている（同、七五頁）。

そうであれば、明時代の中国哲学は終始、概念の世界的循環の中に組み入れられていたと言ってもよいだろう。それは、世界哲学としての中国哲学の一つの画期を成していたのである。

さらに詳しく知るための参考文献

荒木見悟『新版　仏教と儒教』（研文出版、一九九三年）……本書の元となっているのは『仏教と儒教――中国思想を形成するもの』(平楽寺書店、一九六三年) であり、著者の最初の主著であった。仏教との対比の中で深められていったその陽明学理解は、今でも新鮮さを失っていない。

中島隆博『共生のプラクシス――国家と宗教』(東京大学出版会、二〇一一年) ……拙作で恐縮だが、陽明学の展開に関しては「第2章　小人たちの公共空間――明代の思想」において、明末の仏教とキリスト教の対峙に関しては「第3章　魂を異にするものへの態度――明末の仏教とキリスト教」において詳述したので、参考にしていただきたい。

堀池信夫『中国イスラーム哲学の形成――王岱與研究』(人文書院、二〇一二年) ……「回儒 (ムスリム儒者)」の研究はこの数十年で一挙に進んだ感があるが、この本はその達成を示したものだ。王岱與を頂点とする中国イスラーム哲学の形成史が縦横に論じられているだけでなく、「光」や「創造」といった根本概念をめぐる哲学的な議論にも目配りがなされている。

第10章 朱子学と反朱子学

藍弘岳

1 朱子学の誕生と展開——宋代中国から徳川日本へ

†はじめに

東アジアには、哲学がないとよく言われる。確かに、哲学そのものは西洋で生まれたものであるが、翻訳などを通して東アジア諸国に受容され、近現代の東アジアの知識人にも学ばれている。それが日本語あるいは中国語、韓国語に翻訳された時に、儒教思想の痕跡が窺える一方、現代のアカデミーでは、儒教思想も哲学的な枠組みや概念によって解釈・研究されるようになっている。しかも、ライプニッツ、ヴォルフといった西洋の哲学者は、実のところ、儒教思想に対して好意的で、それから影響を受けていた（井川義次『宋学の西遷』）。それは、儒教が西洋哲学と同じく、自然そのもの、自然と人間社会との関係及び人間の実存状態などについて思索をめぐらしてきたからである。

儒教（とくに朱子学）は、西洋哲学と共通のものを持っている。その意味で、東アジア世界に展開された儒教思想も世界哲学史の一環だといえる。本稿では、世界哲学史の一環になっている朱子学だけではなく、反朱子学の展開を考察する。

†朱子学の誕生とその内容概略

儒教は、中国の秦漢時代以前に書かれた『詩』『書』『易』『礼』『春秋』といった経書に対する解釈によって形成された学問の体系である。これらの経書は漢代になって、今に伝わる形に整えられた。宋代になると、国際状況と社会状況の変化に従って、漢代から唐代にかけて展開した経書の訓詁学（経書の文言を考証する学）に代わり、仏教などの影響を受けて、「理」「気」「性」「情」といった概念を駆使して儒教を哲学的に再解釈しようとする動きが起こり、新しい儒教を形成した。

宋代中国は、同時代の遼、西夏、金ないしモンゴルに対して対等な「敵国」意識を持っていた国家であり、天子とされた皇帝が最高の権力者かつ権威者として統治する君主制の国家であった。さらに、宋代には、唐代までの貴族社会から変わって、科挙官僚社会が成立した。これによって、限定的な意味ではあるが、個々人が平等なチャンスを持ち、科挙に参加して官僚になることができるようになった。まさにこの時代において、新しい儒教思想としての朱子学が誕生し、自然そのもの、自然と人間社会との関係、人間内部の心の構造、さらに中国とその周辺国家との関係を説明する思想体系として成立したのである。

この新しい儒教の思想体系について、日本ではよく朱子学と呼んでいるが、中国語としては、一般的に「宋明理学」という言い方をしている。そして、同時代の陸象山の学問ないし明代の陽明学（「心学」）と区別する意味で、「理学」あるいは「性理学」とも称される。ほかにも「道学」「宋学」など、別の言い方もある。一般的にいえば、朱子学は、周敦頤、程顥と程頤の兄弟、張載らから発展し、さらに朱熹によって大成されて、一つの完結した思想体系となった。

しかし、朱熹はこの思想体系のために一つの理論書を書いたわけではない。彼は漢代から唐代までの訓詁学が重んじる「五経」より、「四書」を特別に重視した。その哲学思想を『四書章句集注』（論語・孟子・大学・中庸）といった経書注釈のために使ったほかに、『朱子語類』に収録された門人との問答や、彼の文集『晦庵先生朱文公文集』において、さらにさまざまな形で説明を加えた。このようにして体系化された朱子学は、元代になると、モンゴル人が中国人を統治する必要から、科挙を再開した後、次第にその標準解釈として採用された。この意味で、朱子学は国教化されたのである。

哲学の観点から言うと、朱子学の特徴としてまず挙げるべきは、「天」を「理」と捉え、従来の儒教における天人相関（天人合一）の思想を、「気」のほかに「理」の観点からも解釈し、理気二元論の観点から自然と人間世界を解釈したことである。さらに、その思想体系は「天理人欲」、「理気」、「体用」、「鬼神」などの二項対立を多用することで構成されている。

しかし、「理」や「気」とは何か。これらは簡単に説明できる概念ではない。朱子学の専門家の説明によれば、「気」には広狭二義がある。狭義の「気」がエネルギーと捉えられるのに対して、広義の「気」には、物質としての意味もある。また、「気」には「陰陽」と「五行」との二つの側面がある。「陰陽」は動静の二面を意味しており、「五行」はさまざまな種類の物質だと理解できる。人間が生きる自然世界は「気」で構成されている。それに対して、「理」は「気」を運動させる法則、またこれらの法則を統合する原理だと捉えられている。

さらに、朱子学者は人間の心を「性」と「情」に分けて捉え、「性」と「情」をそれぞれ「理」と「気」に対応させた。その理論によると、人間は自己の「気」の混乱を修正し、その混濁の状況を改善して「理」の通りに動くべきである。そのためには、人間は「格物」や「持敬」などの方法で学問や修養を行い、賢者、さらには聖人になることを目指すべきである。「格物」とは、経書ないし自然世界の研究を通して、「理」を把握するための修養の方法である。それに対して、「持敬」とは心を専一に対象に集中させて、心の善なる本来の機能を利かせようとする修養の方法である（土田健次郎『江戸の朱子学』）。

このように、朱子学者は「理」と「気」によって世界の構造を説明するだけでなく、それを人間関係や心の構造の説明にも適用した。そして、朱子学は郡県制度と科挙制度に合致しながら、宋代以後の中国社会に浸透していったのである。

†徳川日本における朱子学の受容と展開

右に述べたように、中国社会の状況の変化に従って出てきた朱子学は、鎌倉時代に、禅僧によって日本に招来された。そして南北朝前後から、貴族と禅僧が朱子学の経書注釈（新注）を利用するようになっていく。室町時代の五山の僧侶は、儒教や漢文を教養として学んでいた。この流れの中で、江戸時代になると、藤原惺窩（一五六一～一六一九）のように、禅僧のまま、儒服をまとって儒書を学び、講義する人が出てきた。しかし、惺窩の儒教思想は朱子学一色ではなく、三教一致を唱えた明末中国の思想を受容していたものであった。彼の弟子には林羅山（一五八三～一六五七）、松永尺五（一五九二～一六五七）などがいる（土田健次郎、前掲書）。

林羅山は一六三〇（寛永七）年、家塾を江戸の上野忍岡に開いた。のちに林鵞峰（一六一八～一六八〇）の代に、一六六三（寛文三）年から弘文館と称されるようになり、さらに一六九〇（元禄三）年、昌平坂に移転されて幕府直轄の学問所になった。言うまでもなく、この学問所が、元禄頃からの徳川時代における儒教教育の中心であった。幼年の荻生徂徠（一六六六～一七二八）

もこの弘文館と称された林家の塾に入って講義を受けていた（平石直昭『荻生徂徠年譜考』）。それに対して、かつての政治と文化の中心だった京都では、早くも一六二八（寛永五）年頃には、木下順庵（一六二一〜一六九九）の師である松永尺五が私塾を開いていた。この私塾から、六代将軍家宣の侍講を務めた新井白石（一六五七〜一七二五）、室鳩巣（一六五八〜一七三四）などが出た。さらに、一六三五（寛永一二）年に、林羅山を批判した中江藤樹（一六〇八〜一六四八）が近江で藤樹書院を開いた。その弟子には熊沢蕃山（一六一九〜一六九一）がいた。そして、山崎闇斎（一六一九〜一六八二）が一六五五（明暦元）年に自宅で講席を開き、伊藤仁斎（一六二七〜一七〇五）も一六六二（寛文二）年に自宅で古義堂を開いた。堀川の両岸にある闇斎と仁斎の塾は対照的であったが、両者の教育内容と方法は徳川前期の学問傾向を代表しており、荻生徂徠が力をこめて批判した相手であった。

　このように、徳川前期社会では、朱子学は平和の到来と印刷技術の進歩などの理由によって、次第に江戸や京都などの都市だけではなく、地方にまで浸透して学ばれるようになった。哲学史の観点から言うと、最も注目すべき朱子学派は、やはり山崎闇斎を中心とした闇斎学派だと思われる。山崎闇斎ももとは僧侶であったが、朱子学に転向した。彼は朱子学者として、仏教を批判したうえで、中国の宋・元・明代の一部の朱子学者と李退渓などの朝鮮儒学者の思想を踏まえながら、「敬」を中心にした敬義学を立てていった。彼は「持敬」という修養方法論を重んじ、厳格な道徳主義の方向にその思想を展開していった。その一方で、彼は「神代巻（じんだいかん）」に記述された日本神話を持ち込み、敬義学の「敬」（ツツシミ）と妙契した「土金（ツツシミ）の伝」を経義とする垂加神道（すいかしんとう）を創立した（澤井啓一『山崎闇斎』）。

2　徳川日本における反朱子学の展開——徂徠学を中心に

†反朱子学の先鋒——伊藤仁斎

徳川前期の日本社会では、朱子学が次第に学ばれるようになった一方、それに対して違和感を感じ、苦悩の末に、反朱子学の旗を挙げた人が出てきた。それが伊藤仁斎であった。仁斎は三十代後半以降、次第に朱子学から抜け出し、京都の町人社会のあり方に即して、『孟子』『論語』を特に尊重する立場から、儒教古典の再解釈を通じて「古義学」を立てた。それは、徂徠にとって学びつつも超えなければならない学問対象になった。

ちなみに、仁斎の思想には明代の気の思想家と似ているところがあるため、明代の思想家である呉廷翰（ごていかん）（一四九一～一五五九）の影響を受けたのではないかという議論があった。しかし、仁斎は明代の気の思想家のように、陰陽五行の「気」に根拠づけた心性論は語っていない（渡辺浩『近世日本社会と宋学 増補新装版』）。荻生徂徠は仁斎から学びながら、仁斎の『孟子』を尊重する立場を批判して、後に独自の儒教の思想体系を打ち立てた。彼は伊藤仁斎と同じく、いわゆる気の思想家ではなく、気一元論の観点から、理気二元論を批判したのではない。徂徠はむしろ、「理」と「気」による天人相関の考えを退けたのである。

†徂徠と医学

徂徠は青年期に、朱子学から影響を受けた李朱医学の中で思考をめぐらしていた。これは、彼の父親が曲直瀬学統の医学を学んでいたことと関係している。曲直瀬学統の医学は中国と日本との風土の差異を重んじて折衷的医療を行ったものだが、基本的には李朱医学に基づいている（矢数道明『近世漢方医学史』）。徂徠はこうした朱子学あるいは李朱医学を通して、陰陽・五行などの概念を理解している。朱子学は「理」という形而上的な次元で主張される天人相関論の下に構築された壮大な学問体系であるが、それ以前の災異説と運気論を支える「気」による天人相関の自然観を完全に退けたわけではなく、これを内包し下敷きにして発展してきたのである（溝口雄三ほか『中国という視座』）。

それに対して、青年期の徂徠は『徂徠先生医言』を書き、陰陽五行と「干支」という概念装置の作為性・認識手段という性質を強調し、自然の気象を主に人体の病因を説明する比喩的な言語として理解しようとした。しかし、彼は認識論の枠組みとしての朱子学を認識していながらも、それを完全に否定して取って代わるパラダイムはまだ発見していなかった。ただ、天の不可知性（活物的自然観）と人間の特殊性（心、欲、命をもつこと）という後期思想に繫がる考えが、その初期医学説には萌芽していたのである。こうした思想は彼の朱子学からの離脱を促した。そして、徂徠は四〇歳頃に、明代古文辞派との出会いによって、新たな儒教思想体系を作り出す契機を得たのである。

†徂徠と古文辞学

明代古文辞派は一五世紀後半から一六世紀前半にかけて、「文は必ず秦漢、詩は必ず盛唐」を範とした文人の集団である。明代古文辞派の代表者とされる李攀龍（一五一四～一五七〇）と王世貞（一五二六～一五九〇）は、同時代の唐宋派などの文学グループと朱子学の影響を受けた知識人の文章について、「理」を重視しすぎて習俗に囚われている点や、「修辞」の足りなさ、古文辞の固有の「法」を尊重しないといった点を批判していた。その代わりに、彼らは秦漢以前の古文、盛唐以前の詩の制作・読解の方法ないしその詩文論の重要性を唱えていた。

　このような明代古文辞派の著作は、江戸初期からさまざまな形で読まれてきたが、徂徠によって決定的な意味づけを与えられた。徂徠は『訳文筌蹄』などの漢字漢文研究の成果を踏まえながら、明代古文辞派の朱子学批判の意味と詩文観の変化の意味を捉え、パラダイム転換を図ろうとした明代古文辞派の詩文論を的確に理解したのである。その上で、徂徠はそれを、和訓による漢文学習の弊害を克服して優れた漢詩文を制作・読解する方法として、練り上げていった。こうして徂徠は、「理」を重んじる文学観にどうしても付きまとう唐宋古文（「宋調」の漢詩文）を批判的に捉えながら、盛唐以前の詩と秦漢以前の「古文辞」の「辞」、および、その「辞」を組み立てる「法」を模倣・習熟することが必要だ、という考えにたどり着いたのである。

　徂徠の古文辞学は、詩文論や漢詩文を制作・読解する方法論にとどまるものではない。それは儒教の経典（経書）を含む「古文辞」の原典を読解して「古言」を把握するもので、『弁道』『弁名』『論語徴』などに展開されていく徂徠の儒教学説を創出する方法としての意義も有している。こうした方法は、静態的な字義解釈学としての訓詁学とは異なり、漢詩文学としての古文辞学に対する彼の理解の深化によって、次第に作り出されていった方法である。徂徠はこのような文学的な方法を用いることによって、抽象的な「理」ないし「仁義の説」に訴えることなく、直接に「古文辞」としての経書文章に書かれた歴史的事実と、聖人が定めた制度や規範としての重要な漢字概念（例えば「仁」など）を読解するという、朱子学と異なる儒教学説を創出したのである。

†徂徠の朱子学批判

徂徠は「学問は歴史に極まり候事に候」(『徂来先生答問書』)と述べているように、歴史の観点から、日本だけでなく、中国も認識していた。徂徠から見れば、朱子学者は宋代以後の「郡県」「科挙」「法律」など、時代の制度に拘束されている。彼はこのような拘束された状況に置かれた朱子学者が、「理」に訴え、古代の経典・制度を理解し利用しようとした試みに対して、一定の理解を示している。しかし、朱子学者が「今言を以て古言を視る」こと、また「理」と「心」に訴えて「言語」によって「聖人の道」を説明しようとすることは批判した。それは、実は仏教と老荘の思想から影響を受けたもので、韓愈と孟子の思想を媒介にした「心」と「言語」に依拠する「心学」的な方法だと考えたからである。

さらに、徂徠は宋代以後、「理学」(朱子学)が「文章経済より、旁ら医卜の諸雑書にいたるまで」浸透していることも熟知していた。そして、彼は朱子学者が「天理を拡めて人欲を遏む」ことをその修養の目的とし、「理」を彼らの学問の目的としていることを批判した。特に、徂徠は、「天理」「人欲」のような二元的対立図式によって相手に同意を強要する朱子学者のやり方に強迫性を感じ取り、「理学」を「聖人の道」のもつ「文」の性質を見損なった「戎狄の道」だとまで評したのである(『弁道』)。

徂徠は明言してはいないが、「理」にこのような主観性と強迫性があるために、皇帝や官僚がその言葉を「理」に訴えると、言語命令としての法律を乱用する可能性が常にあると考えていた。徂徠から見れば、それは政治思想としては、「情」(人情)を利用する政治のやり方を知らないために、韓非子(かんぴし)の法家思想にも遥かに及ばない。徂徠の考えでは、朱子学者は孟子に学び、王道論の理想を言いながらも、現実の政治に応用された朱子学そのものは、人情を知らない強迫的な統治術になりがちなものであった。

†徂徠の「聖人の道」論とその政治思想

徂徠の考えでは、徳川政治体制と異なる郡県科挙体制に生まれた朱子学は、徳川政治体制の制度改革に直接用いることはできないものであった。そのため、同じ「封建」の体制としての古代の「三代」の制度を参照点にして、そこに有用な思想資源を探し出そうとしたのである。いわゆる「聖人の道」は、三代とそれ以前の中国の聖人たちが作り出した歴史的な礼楽(れいがく)制度である。聖人たちが作った礼楽制度は、それぞれの時代の風俗が異なることから、聖人が主体的に前王朝の制度を「損益」(修正、補正)していったものである(『弁名』)。

徂徠は経書の再解釈を通して、こうした「聖人の道」のあり方とその政治観を披露した。例えば、『論語』の「政を為すに徳を以てす」という文について、徂徠は「有徳の人を用いる」

（『論語徴』甲）と捉えている。この徂徠の捉え方は、彼が退けた「有徳の人が国を治める」という「旧註」の解釈とは異なり、君主が理想的な政治を行うために、自らが道徳的な聖王になり、民を教化するという方向で理解するのではなく、自分ではなく、「徳」を持つ人を使うべきだという方向で捉えたものだ。徂徠によれば、「孝（弟）」などは、人間がその「性」に基づいて学ばずに得ている「徳」のことを指している（人間としての基本道徳）。それに対して、礼楽のように、教育によってその「身」の「性」を養って得られる、特定の仕事に向いた「徳」もある（君子としての徳）。これについて徂徠は、候文などの和文で書いた著作において、「器量」という言葉を使っている。「君子としての徳」のうち、もっとも重要なのは「仁」である。

徂徠は「文学と政事は皆、仁による」（『論語徴』丁）とも述べている。しかし、彼は従来、「仁」を「天理」「愛」「性」などと解釈した後世の儒者の説を退けていた（『弁名』）。彼のいう「仁」の政治とは、天が万物を養うように、政治主体としての君・臣（君子）が天を敬しながら、民を養うべきだという自覚と実践によって行われる政治である。そのために、「仁」を身につけた君子が行うべき行為は、「天を敬する」こと、「民を安ずる」（「仁」）こと、さらに「人を知る」（「智」）ことである。

特に「天を敬する」ことについては、それが「聖門第一義」として、「六経」に載せられたすべての「聖人の道」の根本に置かれていると、徂徠は考えている。彼によれば、「古文辞」

における「敬」は、「尊重・崇拝するところがあり、おろそかにしない」（『弁名』）という意味である。「敬」と「恭（きょう）」との主な差異は、主として「恭」が「己を主とする」のに対して、「敬」は「必ず敬する所ある」という点にあった（『弁名』）。つまり、「敬」という行為には必ず外面的な敬すべき対象がある。徂徠はこのように「敬」を理解することによって、「天」を「理」と解して「天が我にある」と捉えた朱子学の「持敬の説」を批判し、新たな儒教学説を展開するための基軸を持つようになったのである。

右の点と関連して、徂徠は「礼は敬を本とする。天と祖宗を敬することである」（『論語徴』乙）と述べている。「道」の中核になる「礼」は、君子と「天」「祖宗」（鬼神）など「敬」すべき対象との関係を規制する秩序原理、及び規範・制度として捉えられている。こうすることによって、徂徠は「礼」を内面的な「徳」と捉える孟子以後の儒教学説を退け、古代儒教の思想体系を再構築しようとしたのである。

徂徠の政治思想は、後世の「郡県の世」における君主制を支持する儒家あるいは法家思想と異なり、ある種の「封建」体制の存在を前提にする「仁政」と言えるかもしれない。そこには、政治的主体性、政治的責任を求める思想が読み取れるが、民の存在が階級的に位置づけられ、民に対して法による差別的な統治が許されている。この面から見れば、彼の思想は法家の権力政治思想に近いところがあるし、反民主主義的な儒教思想とも言えるだろう（渡辺浩『東アジアの王権と思想』)。

3 東アジアにおける徂徠学の展開

†江戸後期における徂徠学の展開

徂徠の思想は徳川社会内部において、様々な形で批判、継承されていった。服部南郭(はっとりなんかく)(一六八三~一七五九)、山県周南(やまがたしゅうなん)(一六八七~一七五二)、太宰春台(だざいしゅんだい)(一六八〇~一七四七)といった弟子たちの活躍によって、徂徠の思想は徳川後期の文芸と思想の展開に対して、重要な役割を果たした。文人意識を持ちながら、漢詩文の創作を重んじる服部南郭一派の発展によって、古文辞学は狂歌、戯作といった江戸文芸の発展に繋がっていっただけでなく、その表現美を重んじる文学論は国学にも影響を与えた(日野龍夫『徂徠学派』)。そもそも、徂徠は歴史の観点から「聖人の道」を捉え、経書研究を通して古代中国の歴史を把握していた。それゆえ、彼は『徂徠集』『南留別志(なるべし)』などの著作で、古代中国、朝鮮と古代日本の歴史的な関連をも詮索していたのである。これらの業績は国学者らによる古代日本史の研究にも繋がるのみならず、後期水戸学の展開とも関わっている。

それに対して、経書研究と儒教思想の再構築という観点からは、太宰春台の思想を特に重要視する必要がある。というのも、春台は、朱子学と孟子に対する徂徠の批判と「聖人の道」論を踏まえながら、徂徠学を再構成して自らの学問を大成したからである。春台は徂徠と異なり、「聖人の道」を理解するために、「六経」と『論語』のほかに、『孝経』(特に『古文孝経』)を重んじた。また、春台はこの考えの延長線に、同じく孔安国(前一五六~前七四)がその編集者だとされた『孔子家語』も重視している。こうした思想の立場と方法によって、彼は、徂徠と比べれば、「五倫」(特に「孝」)をより重んじ、君臣秩序の絶対性と古代中国の封建体制における重要な要素としての宗族に関わる諸種の制度を重視していった。

春台は徂徠と同じく、封建体制となった徳川日本において、古代中国の封建体制に採用された諸制度を積極的に参考しながら、改革を行うべきだと考えていた。しかし、春台は『聖学問答』『弁道書』のような和文で書かれた著作では、より原理主義的な態度で、古代中国の基準から日本の制度と風俗を厳しく批判し、それを徳川日本に適用しようとした。それゆえ、春台の著作は多くの反論を呼び起こした。賀茂真淵(一六九七~一七六九)の『国意考』、本居宣長(一七三〇~一八〇一)の『直毘霊』、平田篤胤(一七七六~一八四三)の『呵妄書』などには、直接に書名を挙げてはいないが、明確に太宰春台の説を批判したところがある。春台の思想は、含蓄のある徂徠学をより明確な形で示したが、歪曲もしたのである。その分、逆説的な意味で、春台の思想は、国学者や神道家に大いに思想的な刺激を与えた。

　さらに、春台は徂徠よりも唐音を重視したために、彼の弟子には漢字音韻学を研究する文雄（一七〇〇〜一七六三）という僧侶が出てきた。文雄は『韻鏡』の研究を進めて『磨光韻鏡』を著した。この意味で、徂徠学派は江戸時代における漢字音韻学の発展と繫がっていったのである。むろん、荻生徂徠自身も『訳文筌蹄』などの漢字研究を行っていた。蘭学者のオランダ語の研究もそれに啓発されたところがある。

　徂徠自身の学問は漢代の古注への回帰を目的とはしなかったが、聖人の道の再構築を目的としたために、朱子学以前の古注の整理と閲覧を奨励した。徂徠の弟子である山井崑崙（一六九〇〜一七二八）と根本遜志（一六九九〜一七六四）は、三年ほどの時間をかけて足利学校で古籍の整理と校勘に努めていた。山井の努力によって、『七経孟子考文』（一七二六〈享保一一〉年）が刊行された。その後、徂徠の弟である荻生北溪（一六七三〜一七五四）が、徂徠門下の宇佐美灊水（一七一〇〜一七七六）らの協力によって、さらに校正、補遺を行って、『七経孟子考文補遺』（一七三一〈享保一六〉年）を出版した。山井崑崙は主として足利学校に所蔵された七経（『易』『書』『詩』『礼』『春秋』『論語』『孝経』）と『孟子』の古鈔本、宋刊本、明刊本の経文によって校勘を行った。さらに、根本遜志は一七五〇年頃、『論語集解義疏』を出版した。このように、徂徠後学は宋代以前の古注を重視し、また経書の校勘にも努めていたのである。

†清朝中国と朝鮮王朝に伝わった徂徠学派の著作

江戸末期の昌平坂学問所教授であった安積艮斎（一七九一～一八六一）は、たとえ「妄説」が多いとしても、日本の朱子学者の著作と比べれば、徂徠学派の著作は、確かに「西儒」（清朝中国の学者）に注目されたと評している（『南柯余編』）。

前述の『古文孝経』、『七経孟子考文補遺』、『論語集解義疏』は中国に招来された。そのほかに、『弁名』『弁道』『大学解』『中庸解』『徂徠集』『論語徴』を収録した『論語徴集覧』、及び太宰春台の『論語古訓』『論語古訓外伝』『詩書古伝』も中国に輸入された（藤塚鄰『論語総説』）。これらの徂徠学関係の著作の中で、主として『七経孟子考文補遺』『論語集解義疏』『古文孝経』及び徂徠の『論語徴』が多くの清儒に知られた。

『四庫全書』と鮑廷博（一七二八～一八一四）編選の『知不足斎叢書』に収録された『七経孟子考文補遺』は、清朝考証学者に高く評価された。盧文弨（一七一七～一七九五）がその著作を読んだ後、「その海外の小さい国にはまだ読書できる人がいる」と嘆いた。阮元（一七六四～一八四九）も経書校勘における価値の観点からその著作を評価したことがある。太宰春台が編纂・校勘した『古文孝経』も、『古文孝経孔氏伝』というタイトルで『知不足斎叢書』と『四庫全書』に収録されたため、広く読まれた。そして、その本の真偽も清朝中期から論じられるようになった。

では、徂徠の『論語徴』はどのように清朝学者に理解されたのだろうか。呉英『経句説』、翁広平『吾妻鏡補』、狄子奇『経学質疑』、劉宝楠『論語正義』、兪樾『春在堂随筆』などに、『論語徴』が引用されている。銭泳という学者は『弁道』『弁名』を編纂しなおし、自序と、『先哲叢談』を踏まえて書いた「日本国徂來先生小伝」を付け加え、『海外新書』というタイトルで出版した。徂徠の『論語徴』を閲覧した人の中で、最も知られているのは劉宝楠の『論語正義』である。しかし、二カ所を引用しただけであった。『春在堂随筆』は一七条を引用したが、評論はなかった。最も力を入れて『論語徴』を自作に引用して批評したのは呉英『経句説』である。そこでは一一カ所で『論語徴』が引用された。その内容を見ると、肯定的に引用したところは二カ所だけである。しかし、彼は徂徠の「聖人の道」論を理解できず、徂徠の孟子論の批判をしただけであった。

このように、清朝中期に輸入された徂徠学派の著作は、清朝中国の文士に注目され、また受容されている。清末になると、黄遵憲（一八四八～一九〇五）、唐才常（一八六七～一九〇〇）、章太炎（一八六九～一九三六）のような日本に長期滞在した経験を持つ人が出てきた。黄遵憲は『日本国志』で、徂徠の系譜、古文辞学方法論、脱宋学的な儒教思想の精華と重要著作等を、簡潔ながらもほぼ正確に紹介した。さらに、章太炎は、荻生徂徠とその弟子である太宰春台の経学研究は、「訓詁考証、時に善言がある」が、清朝考証学の最高峰ともいうべき戴震（一七二四～一七七七）、段玉裁（一七三五～一八一五）らと比べると、その学問的水準は低く、結局は言語が異なるのだから周秦以前の音韻も読解できないだろう（『太炎文録初編』）と述べている。章太炎のこうした徂徠論は、中国から日本の漢学を見る時によく見られるステレオタイプの一つだと言える。このような見方にはある種の華夷意識があり、一方的なものと言わざるをえない。実際、漢字音韻学は徳川日本において、すでに発展していたし、徂徠学派もそれに関わっていた。しかし、精密な経書注釈を重んじる清朝考証学の観点からは、徂徠らの著作は未熟なものとしか評されなかったのである。

　それに対して、朝鮮王朝では、一七六四年の甲申通信使節たる元重挙（一七一九～一七九〇）が、早くも『和国志』で、徂徠学派の学問を紹介していた。彼が引用した書籍には『荻生徂徠文集』があり、それを読んだはずである（河宇鳳『朝鮮王朝時代の世界観と日本認識』）。元重挙は徂徠の古文辞学の立場、及び孟子と宋学を批判した学問の特徴などを理解し、徂徠を「奇偉大特抜の才」だと称え、徂徠が「華音で韻書をその弟子たちに教える」ことを評価している。また、太宰春台が「議論」の方面において徂徠より優れていると称賛したこともある。元重挙の影響で、李徳懋（一七四一～一七九三）は『蜻蛉国志』（一七七八年）で徂徠と春台に言及したことがある。

しかし、真に徂徠学派の経書注釈と思想に立ち入って読んだのは丁若鏞（チョンヤギョン）（一七六二〜一八三六）である。丁若鏞は「日本論」で、伊藤仁斎と荻生徂徠そして太宰春台の学問に基いて、徂徠らが論じた「経義」は「燦然（さんぜん）とした文」であるから、日本からの侵略を憂う必要がなくなると主張している。彼は確かに徂徠、春台らの経書解釈を読んでいたのである。また、その主著たる『論語古今注』の中には大量の引用があるが、実際に使ったものは『論語古訓外伝』だけである。丁若鏞は徂徠学派と同じく、朱子学の経書解釈を批判したが、人性論などの解釈は異なっていた（李基原（イキウオン）『徂徠学と朝鮮儒学』）。それはやはりある種の孟子尊重の儒教思想であったのだ。

朝鮮における清朝文化の招来に多く貢献した金阮堂（キムウアンダン）も、阮元を通して、『七経孟子考文』を読んだことがあった。また、金邁淳（キムメスン）（一七七六〜一八四〇）は太宰春台の『論語古訓外伝』における議論が、阮元の『性命古訓』の議論と似ているところがあると指摘して、孟子に対する態度の差異を論じた。さらに重要なのは、清朝の梅曾亮（ばいそうりょう）（一七八六〜一八五六）が金邁淳の議論を読み、その批評に賛同して、孟子までを批判した徂徠と春台は「異端の尤（もっと）もなるもの」だと批判したことである。

通信使以外でも、清朝考証学者の徂徠学派論を載せた書籍が燕行使（えんこうし）らによって朝鮮に持ち帰られていた。また、朝鮮文士の徂徠学派論も清朝中国で読まれていた。この意味で、一九世紀の漢文圏においては、徂徠学派の経学は、概ね批判的に見られてはいたが、共有の知識になりつつあったのだ。しかし、孟子までを批判して構築されたその思想体系は、ほかの朱子学の批判者の思想と比べても、相当に独特なものであった。それゆえ、一部の徂徠学派の経説の引用とそれに対する議論はあったが、日本以外への思想的な影響力がどれほどあったかについてはさらに立ち入った検討が必要であろう。

†結びに代えて

朱子学は、孟子以後の心性を重んじる学問の傾向を継承しながら、宋代以後の中国の郡県科挙社会において作られた思想体系である。それに対して、徂徠は明代古文辞派の著作からの刺激を契機として、孟子を尊重する朱子学の流れと異なる独創的な思想体系を作り上げ、太宰春台らに継承されていった。世界哲学史の観点から言うと、孟子と朱子学（ないし陽明学）をベースにして形成された東アジアの儒教哲学史では、徂徠の思想は非常に独創性を持つもののように見られ、批判されていたのである。それは荀子ないし法家系統の思想と見られることもあったが、そう簡単には言えないところもある。ただ、『荀子』は古代儒教を復興しようとした彼の思想形成に影響を与えた重要な一冊だと理解できる。徂徠学そのものは東アジア漢文圏において、脱宋学のために展開された古学である。それはおそらくもっとも独創性と体系性を持つ古学として把握したほうがよいのではないかと、筆者は考えている。

「聖人の道」の中身に関する理解は異なるにせよ、徂徠学は清朝考証学と同じく、古代の歴史と言語文字の考証を通して、「聖人の道」を再構築しようとした。しかし、重要なことは、思想史的に見れば、徂徠学は江戸後期の漢学（とくに後期水戸学）だけではなく、国学と蘭学などの展開にも関わり、江戸中後期における諸文芸と学問の発展に大きく寄与していたことである。この意味で反朱子学の学問として展開された徂徠学は、反儒教（反勧善懲悪的な文学観、ないし反同時代の中国というような学問姿勢、特にその弟子たる服部南郭の流れ、及び国学との関連）の学問として受け止められ、日本におけるナショナリズムの発展と西洋の技術文明の受容に対して、間接的な意味で役割を果たしたと言えるだろう。それゆえ、その思想には何らかの近代性あるいは日本的なものがあると見られたのである。

しかも、それは同時代の清朝中国と朝鮮王朝にも伝わっていた。文学性が強い徂徠自身の古文辞学は、清朝考証学者から見れば、未熟なものである。しかし、両者に対しては、同じく心性よりも古代中国の経書における漢字と文言を重んじる古学という意味で、さらなる比較研究が必要である。実際、徂徠学派の校勘学は大いに清朝考証学家の校勘学の発展を刺激していたはずである。またここで論じる余裕はないが、清朝考証学の著作は江戸後期の日本に招来され、読まれていた。それが徳川後期の思想の形成にどのような役割を果たしたのか。これも立ち入って研究する必要があると思われる。

さらに詳しく知るための参考文献

土田健次郎『江戸の朱子学』（筑摩選書、二〇一四年）……本書は中国朱子学に対して深い知識を持つ土田健次郎による日本朱子学の概説書である。朱子学そのものと、日本における朱子学の展開などが明快に説明されている。このテーマについては、渡辺浩『近世日本社会と宋学　増補新装版』と黒住真『近世日本社会と儒教』との併読を薦める。

平石直昭『荻生徂徠年譜考』（平凡社、一九八四年）……これは荻生徂徠の研究者にとって必携の一冊である。本書では、徂徠と関わる人々のことが精密な考証を加えながら、詳細に論じられている。江戸中期の知識人社会に興味を持つ方にお薦めの一冊でもある。平石氏の近世思想史論をもっと知りたい人には、平石直昭『日本政治思想史――近世を中心に』との併読を薦める。

高山大毅『近世日本の「礼楽」と「修辞」』（東京大学出版会、二〇一六年）……本書では、荻生徂徠の礼楽論と文学論がどのように、江戸後期の文人儒者に継承されながら展開していったのかが明快に説明されている。江戸後期における徂徠学の展開というテーマに対して興味を持ち、さらに知りたい方にお薦めの一冊である。このテーマについては、日野龍夫『徂徠学派』、小島康敬『徂徠学と反徂徠』、島田英明『歴史と永遠』、板東洋介『徂徠学派から国学へ』との併読を薦める。

藍弘岳『漢文圏における荻生徂徠』（東京大学出版会、二〇一七年）……拙著はこの文章の内容と関わる研究書である。東アジアの広がりの中で徂徠の学問の形成と展開を論じたものである。東アジアの文学史、思想史の観点から、徂徠学をさらに知りたい方にお薦めである。東アジアの学問世界を意識しながら、江戸儒教を捉える研究として、渡辺浩『東アジアの王権と思想』、澤井啓一『〈記号〉としての儒学』、小島毅『近代日本の陽明学』『儒教が支えた明治維新』、中村春作『徂徠学の思想圏』との併読を薦める。

あとがき

西洋中世哲学の展開において、終末論思想が人々の心を覆う雰囲気だったことは重要である。フィオーレのヨアキムがあれほど受け入れられたのも、終末ということが世界の終わりという絶望的危機感と、終末の後に来る新しい世界への期待というアンビヴァレントな感情の上に築かれていたように思う。ヨーロッパ各地に途切れなく生じる異端者の思想、異端者への激しい弾圧、十字軍、黒死病、過酷な税金など、終末の接近を予知するような緊張感に溢れた時代だったのだろう。

二一世紀に生きる我々も終末論的な状況にある。二一世紀は9・11の同時多発テロに始まり、哲学もまた「言語論的転回」のあとに、「イスラーム的転回（Islamic turn）」によって新しい哲学の段階が来たと覚悟したほどだった。当然のことながら、世界哲学史はイスラーム的潮流を組み込まなければならない。そして、インドも、中国も、日本も、それどころか南アメリカもアフリカも、一つの哲学圏として考えるべき時代に入った。

二一世紀は、様々に終末論的気配を漂わせ、二一世紀のヨアキムを待ち望んでいるように見える。地球規模の温暖化、史上最悪の原発事故たるＦＵＫＵＳＨＩＭＡ、間近に見えてきた核兵器の脅威、新型コロナウイルスなど、暗澹たる出来事の中で私たちは生きている。理性主義（合理主義）の後において、理性が未来への希望を断念することを教唆しているように見える中で、希望の原理はどこにあるのか。

ヨアキムが中世の人々に希望を与え、人々はその実現者としてアッシジのフランチェスコに希望を見いだした。現代において希望はどこにあるのか。

近世とは何か。西洋中世は、インテル・エッセ（間存在、関係、関心、利子、利害）を正当化し、聖霊の如く人と人の間を流れ、流通するものと捉えた。インテル・エッセを自分の方に求心的に集中しながらも、蓄積するのではなく投資し増殖させるシステムが近世に現れてくる。それは経済学の問題にとどまらず、存在論、神学、倫理学、法学をも巻き込む問題なのだ。インテル・エッセは、その作用を西洋に留めることなく、世界全体に波及していったのであり、それが近世だったのである。

哲学史もまた時間的に過去に遡ることで、現実から退避して過去に引きこもることではなく、ヤヌスのように、過去と未来を同時に見つめ、行く末を見定める行為なのである。そこには東洋も西洋もない。そのような区分を根本から破壊してしまいかねない激流の中で私たちは生きている。

とは言え、次のように難ずる者もいるだろう。現在において世界どころか狭い島国の中の出来事でさえ見通すのに難渋する者が、どうして、五〇〇年前のことを権威ある者の如く語ることができるのか、と。しかし、それを避けて通ろうとすることは、不可能性を弁解の名目として、外套の如く身にまとうことで、批判を予め避けようとする予防的防御法ではないのか。

哲学が梟のように夕方に飛び立つことに甘んじることなく、マルクスのように、早朝に暁を作る鳥のごとき役割を妄想する人間が出てきてもよい。世界哲学史は歴史の先達たちへの感謝の言葉、いや墓碑銘なのである。

新型コロナウイルスという見えない悪が世界を覆いつつあり、一四世紀の黒死病を連想させる。黒死病は、世界規模で見ると八〇〇〇万人から一億人が犠牲になったとされる。そこまで猖獗（しょうけつ）を極めることはないとしても、被害は大きく、早く終息することを願わずにはいられない。

そういう厳しい状況のなかで、本巻も筑摩書房編集部松田健氏の獅子奮迅の献身によって成立した。編集委員の一人として心から御礼申し上げる。

二〇二〇年三月

第5巻編者　山内志朗

編・執筆者紹介

伊藤邦武（いとう・くにたけ）【編者】
一九四九年生まれ。京都大学名誉教授。京都大学大学院文学研究科博士課程単位取得退学。スタンフォード大学大学院哲学科修士課程修了。専門は分析哲学・アメリカ哲学。著書『プラグマティズム入門』（ちくま新書）、『宇宙はなぜ哲学の問題になるのか』（ちくまプリマー新書）、『パースのプラグマティズム』（勁草書房）、『ジェイムズの多元的宇宙論』（岩波書店）、『物語　哲学の歴史』（中公新書）など多数。

山内志朗（やまうち・しろう）【編者／はじめに・第1章・第3章・あとがき】
一九五七年生まれ。慶應義塾大学文学部教授。東京大学大学院人文科学研究科博士課程単位取得退学。専門は西洋中世哲学、倫理学。著書『普遍論争』（平凡社ライブラリー）、『天使の記号学』（岩波書店）、『「誤読」の哲学』（青土社）、『小さな倫理学入門』『感じるスコラ哲学』（以上、慶應義塾大学出版会）、『湯殿山の哲学』（ぷねうま舎）など。

中島隆博（なかじま・たかひろ）【編者／第9章】
一九六四年生まれ。東京大学東洋文化研究所教授。東京大学大学院人文科学研究科博士課程中途退学。専門は中国哲学、比較思想史。著書『悪の哲学――中国哲学の想像力』（筑摩選書）、『荘子――鶏となって時を告げよ』（岩波書店）、『思想としての言語』（岩波現代全書）、『残響の中国哲学――言語と政治』『共生のプラクシス――国家と宗教』（以上、東京大学出版会）など。

納富信留（のうとみ・のぶる）【編者】
一九六五年生まれ。東京大学大学院人文社会系研究科教授。東京大学大学院人文科学研究科修士課程修了。ケンブリッジ大学大学院古典学部博士号取得。専門は西洋古代哲学。著書『ソフィストとは誰か？』『哲学の誕生――ソクラテスとは何者か』（以上、ちくま学芸文庫）、『プラトンとの哲学――対話篇をよむ』（岩波新書）など。

＊

渡辺 優（わたなべ・ゆう）【第2章】
一九八一年生まれ。東京大学大学院人文社会系研究科准教授。東京大学大学院人文社会系研究科博士課程単位取得退学。博士（文学）。専門は宗教学、西洋近世神秘思想史。著書『ジャン＝ジョゼフ・スュラン――一七世紀フランス神秘主義の光芒』（慶應義塾大学出版会）など。

アダム・タカハシ【第4章】
一九七九年生まれ。東洋大学文学部哲学科助教。慶應義塾大学大学院修士課程修了、オランダ・ラドバウド大学哲学博士。専門は西洋中世・ルネサンス自然哲学史。論文 "Albert the Great as a Reader of Averroes: A Study of His Notion of the Celestial Soul in *De caelo et mundo* and *Metaphysica*," *Documenti e studi sulla tradizione filosofica medievale*, 30 (2019) など。

新居洋子（にい・ようこ）【第5章】
一九七九年生まれ。日本学術振興会特別研究員。東京大学人文社会系研究科博士号取得。専門は東洋史、東西思想交流。著書『イエズス会士と普遍の帝国――在華宣教師による文明の翻訳』（名古屋大学出版会）、論文「学知と宣教――在華イエズス会士による適応の変容」（齋藤晃編『宣教と適応――グローバル・ミッションの近世』名古屋大学出版会）など。

大西克智（おおにし・よしとも）【第6章】
一九七〇年生まれ。九州大学人文科学研究院准教授。東京大学大学院人文社会系研究科修士課程修了。パリ第一大学哲学科博士号取得。専門は西洋近世哲学。著書『意志と自由――一つの系譜学』（知泉書館）、『西洋哲学史Ⅲ――「ポスト・モダン」のまえに』（共著、講談社選書メチエ）、共訳書『デカルト全書簡集 第四巻（１６４０-１６４１）』（監訳、知泉書館）など。

池田真治（いけだ・しんじ）【第7章】
一九七六年生まれ。富山大学学術研究部人文科学系准教授。京都大学大学院文学研究科博士後期課程修了、文学博士。

専門は西洋近世哲学、数理哲学史。論文「虚構を通じて実在へ――無限小の本性をめぐるライプニッツの数理哲学」(『ライプニッツ研究』第五号)、共訳書『デカルト 数学・自然学論集』(法政大学出版局)、『ライプニッツ著作集 第Ⅱ期』(工作舎)など。

小倉紀蔵(おぐら・きぞう)【第8章】
一九五九年生まれ。京都大学大学院人間・環境学研究科教授。韓国ソウル大学校哲学科大学院東洋哲学専攻博士課程単位取得退学。専門は東アジア哲学。著書『朝鮮思想全史』『入門 朱子学と陽明学』(以上、ちくま新書)、『朱子学化する日本近代』(藤原書店)、『創造する東アジア』(春秋社)など。

藍弘岳(らん・こうがく)【第10章】
一九七四年生まれ。台湾・中央研究院歴史語言研究所教授。東京大学大学院総合文化研究科博士課程修了。専門は日本思想史、東アジア思想文化交流史。著書『漢文圏における荻生徂徠――医学・兵学・儒学』(東京大学出版会)など。

松浦 純(まつうら・じゅん)【コラム1】
一九四九年生まれ。東京大学名誉教授。東京大学大学院人文科学研究科修士課程修了。専門はドイツ語ドイツ文学。著書『十字架と薔薇――知られざるルター』(岩波書店)、訳・解説書『ファウスト博士 付 人形芝居ファウスト』(国書刊行会)、ルター最初期自筆資料校訂版(Böhlau Verlag)など。

金子晴勇(かねこ・はるお)【コラム2】
一九三二年生まれ。岡山大学名誉教授、聖学院大学総合研究所名誉教授。京都大学大学院文学研究科宗教学専攻博士課程単位取得退学。京都大学文学博士の学位取得。専門はヨーロッパ思想史。著書『ルターの人間学』(創文社)、共訳書『アウグスティヌス神学著作集』(教文館)など。

安形麻理(あがた・まり)【コラム3】

一九七六年生まれ。慶應義塾大学文学部教授。慶應義塾大学大学院文学研究科博士課程修了。博士（図書館・情報学）。専門は西洋書誌学。著書『デジタル書物学事始め――グーテンベルク聖書とその周辺』（勉誠出版）、訳書『西洋活字の歴史』（慶應義塾大学出版会）など。

伊藤博明（いとう・ひろあき）【コラム4】
一九五五年生まれ。専修大学文学部教授。北海道大学大学院文学研究科博士後期課程中退。専門は思想史・芸術論。著書『ルネサンスの神秘思想』（講談社学術文庫）、『哲学の歴史4　ルネサンス』（編著、中央公論新社）、『綺想の表象学』（ありな書房）など。

世界哲学史5
——中世Ⅲ バロックの哲学

二〇二〇年五月一〇日 第一刷発行

編者 伊藤邦武(いとう・くにたけ)
山内志朗(やまうち・しろう)
中島隆博(なかじま・たかひろ)
納富信留(のうとみ・のぶる)

発行者 喜入冬子

発行所 株式会社 筑摩書房
東京都台東区蔵前二-五-三 郵便番号一一一-八七五五
電話番号〇三-五六八七-二六〇一(代表)

装幀者 間村俊一

印刷・製本 株式会社 精興社

ISBN978-4-480-07295-5 C0210

人名索引

あ行

か行

さ行

た行

な行

は行

ま行

や行

ら行

わ行

年表

	ヨーロッパ	北アフリカ・アジア(東アジア以外)
1260	1260頃　エックハルト、生まれる〔-1328頃〕 1261　コンスタンティノポリスを奪回し、ビザンツ帝国再興。パライオロゴス朝が始まる〔-1453〕 1265　ダンテ、生まれる〔-1321〕 1265頃　ドゥンス・スコトゥス、生まれる〔-1308〕、トマス・アクィナス『神学大全』執筆開始	1263　イスラーム原理主義者イブン・タイミーヤ、生まれる〔-1328〕
1270	1270　ナフマニデス、没。マルコ・ポーロ、東洋に向かって出発する 1270頃　この頃からパリ大学でラテン・アヴェロエス主義者の活動が活発化 1272　アブヴィルのゲラルドゥス、没 1274　第2リヨン公会議 1275/80　パドヴァのマルシリウス、生まれる〔-1342/43〕 1277　タンピエの禁令	1273　ペルシア語詩人ジャラールッディーン・ルーミー、没 1274　哲学者・天文学者ナスィールッディーン・トゥースィー、没
1280	1285頃　ウィリアム・オッカム、生まれる〔-1347頃〕	1283　歴史家アラーウッディーン・ジュワイニー、没 1284　照明哲学者イブン・カンムーナ、没 1288　アゼルバイジャンのイスラーム神秘主義者マフムード・シャベスタリー、生まれる〔-1320頃〕

太字は哲学関連事項

中国・朝鮮	日本	
	1262頃　唯円『歎異抄』成立 **1263　親鸞、没** 1266頃『吾妻鏡』成立	1260
1271　フビライ・ハン、国号を大元（元）とする〔-1368〕 1275　マルコ・ポーロ、大都に到着 1279　南宋、元軍により滅亡	1274　文永の役 **1278　虎関師錬、生まれる〔-1347〕**	1270
1280　郭守敬や許衡らにより授時暦が完成する	**1280頃　『神道五部書』成立** 1281　弘安の役 **1283　無住『沙石集』成立**	1280

	ヨーロッパ	北アフリカ・アジア(東アジア以外)
1290	1296　グレゴリオス・パラマス、生まれる〔-1357/9〕 1298　ペトルス・ヨハネス・オリヴィ、没	1292　ペルシア語詩人サァディー・シーラーズィー、没 1295　イル・ハーン朝がイスラームに改宗 1299　オスマン朝が興る〔-1922〕
1300	1300頃　ジャン・ビュリダン、生まれる〔-1362頃〕。リミニのグレゴリウス、生まれる〔-1358〕 1304　ペトラルカ、生まれる〔-1374〕 1309　「教皇のバビロン捕囚」〔-1377〕	1301　イスラーム神秘主義者アズィーズッディーン・ナサフィー、没 1308　ルーム・セルジューク朝滅亡
1310		1314　ラシードゥッディーン『集史』成立。ムザッファル朝成立 1318　イランの歴史家ラシードゥッディーン処刑 1319　イランの神秘主義哲学者ハイダル・アーモリー、生まれる〔-1385〕
1320	1320頃　ザクセンのアルベルトゥス、生まれる〔-1390〕。ニコール・オレーム、生まれる〔-1382〕	1320　インドでトゥグルク朝成立 1325　インドのイスラーム聖者ニザームッディーン・アウリヤー没。インドのペルシア語詩人アミール・ホスロー、没 1325/6　ペルシア語詩人ハーフェズ・シーラーズィー、生まれる〔-1389/90〕 1326　シーア派神学者アッラーマ・ヒッリー、没

中国・朝鮮	日本	
1294　モンテコルヴィノ大司教による中国布教〔-1328〕	1297　大覚、生まれる〔-1364〕	1290
		1300
1313　宋の滅亡以来中断していた科挙が再開		1310
	1320　渡会家行『類聚神祇本源』成立	1320

	ヨーロッパ	北アフリカ・アジア(東アジア以外)
1330	**1331頃　ジョン・ウィクリフ、生まれる〔-1384〕** 1337　百年戦争開始〔-1453〕 **1337頃　ヘシュカスム論争〔-1351〕**	**1332　歴史家イブン・ハルドゥーン、生まれる〔-1406〕** **1336　イスラーム神秘主義者アラーウッダウラ・スィムナーニー、没** **1339/40　イランの文字神秘主義者ファズルッラー・アスターバーディー、生まれる〔-1394〕**
1340	**1340頃　ハスダイ・クレスカス、生まれる〔-1410〕** 1347　ペスト大流行〔-1350〕	1347　デカン高原にバフマニー朝成立
1350		1351　タイにアユタヤ朝成立〔-1767〕 1353　イランでイル・ハーン朝が滅亡 **1355　スンナ派神学者イージー、没**
1360	**1360頃　プレトン、生まれる〔-1452〕** **1363　ジャン・ジェルソン、生まれる〔-1429〕**	
1370	1378　教会大分裂〔-1417〕	1370　ウズベキスタン中央部に、ティムール朝が成立〔-1507〕
1390	1396　ニコポリスの戦いで、オスマン帝国がハンガリーを破る	**1390　スンナ派神学者タフターザーニー、没**
1400	1409　ピサ公会議開催	1402　アンカラの戦い
1410	1414　コンスタンツ公会議開催〔-1418〕 **1415　ヤン・フス火刑に**	1414　インド、サイイド朝成立〔-1451〕。**ペルシア語スーフィー詩人ジャーミー、生まれる〔-1492〕**

中国・朝鮮	日本	
	1330　吉田兼好『徒然草』成立 1333　鎌倉幕府が滅ぶ。建武の新政 1336　南北朝分裂	1330
1346　イブン・バットゥータが大都に到着	**1344　夢窓疎石『夢中問答集』成立**	1340
1351　紅巾の乱〔-1366〕 **1357　方孝孺、生まれる〔-1402〕**		1350
1368　元の大都が陥落、明が成立して朱元璋が皇帝になる	**1360頃　『神道集』成立** 1363　世阿弥、生まれる〔-1443〕	1360
1370　科挙の制度が定められる	1375頃　『太平記』成立	1370
1392　朝鮮（李氏）が成立〔-1897〕 1397　洪武帝、『六諭』を発布	1392　南北朝合一 1397　足利義満、金閣寺を造営	1390
1405　鄭和の南海遠征〔-1433〕	1404　勘合貿易開始	1400
1415　『五経大全』『四書大全』『性理大全』の完成		1410

	ヨーロッパ	北アフリカ・アジア(東アジア以外)
1420		**1426　イランの哲学者・神学者・法学者、ジャラールッディーン・ダワーニー、生まれる〔-1502〕**
1430	1431　バーゼル公会議開催〔-1449〕。ジャンヌ・ダルク処刑される	1432　南イラクのジャラーイル朝滅亡
1440	1442頃　ポルトガル、奴隷貿易を開始	**1440　インドの宗教改革者カビール、生まれる〔-1518〕** 1445　ロシアにカザン・ハーン国成立
1450	**1452　サヴォナローラ、生まれる〔-1498〕。レオナルド・ダ・ヴィンチ、生まれる〔-1519〕** 1453　コンスタンティノポリス陥落、ビザンツ帝国滅亡 1455　薔薇戦争〔-1485〕 **1455頃　グーテンベルク、活版印刷術を発明**	1451　インド、ロディー朝成立〔-1526〕
1460	**1462　ピエトロ・ポンポナッツィ、生まれる〔-1525〕** **1463　ジョヴァンニ・ピーコ・デッラ・ミランドラ、生まれる〔-1494〕。プラトン・アカデミー成立** **1466　エラスムス、生まれる〔-1536〕** **1469　マキアヴェッリ、生まれる〔-1527〕**	**1461　イランの哲学者ギヤースッディーン・ダシュタキー、生まれる〔-1542〕** **1469　シク教教祖ナーナク、生まれる〔-1538〕**
1470	**1473　コペルニクス、生まれる〔-1543〕** **1477/8　トマス・モア、生まれる〔-1535〕**	**1477　インドの論理学者ラグナータ、生まれる〔-1550頃〕** 1478　コンスタンティノポリスにトプカプ宮殿完成

中国・朝鮮	日本	
		1420
		1430
1446　朝鮮王朝、世宗が訓民正音（ハングル）を制定		1440
		1450
	1467　応仁の乱〔-1477〕	1460
1472　王守仁（王陽明）、生まれる〔-1528/9〕		1470

	ヨーロッパ	北アフリカ・アジア(東アジア以外)
1480	**1482 ベルナルディノ・デ・ラレド、生まれる〔-1540〕** **1483 マルティン・ルター、生まれる〔-1546〕** **1484 ユリウス・カエサル・スカリゲル、生まれる〔-1558〕** 1485 イギリスにテューダー朝成立〔-1603〕 **1486 アグリッパ・フォン・ネッテスハイム、生まれる〔-1535〕**	
1490	1492 スペイン王国がナスル朝のグラナダを陥落し、レコンキスタ完成。コロンブス、西インド諸島に到達 1494 イタリア戦争、起こる〔-1559〕 **1497 フィリップ・メランヒトン、生まれる〔-1560〕** **1497頃 フランシスコ・デ・オスナ、生まれる〔-1542〕**	**1497 シーア派哲学者サドルッディーン・ダシュタキー・シーラーズィー、没** 1498 ヴァスコ・ダ・ガマ、カリカット到達
1500	1506 サン・ピエトロ大聖堂建設開始	**16C初め ナーナク、シク教を創始** 1501 イラン北西部にサファヴィー朝成立〔-1736〕。イスマーイール1世がサファヴィー朝の国教をシーア派に制定する
1510	**1515 ペトルス・ラムス、生まれる〔-1572〕。アビラのテレサ、生まれる〔-1582〕** **1519 ライプツィヒ討論(ルターとエックの論争)**	1510 ポルトガル、ゴア占領 1511 ポルトガル、マラッカ占領 1517 オスマン帝国、エジプトを占領、マムルーク朝滅亡

中国・朝鮮	日本	
1483　王艮、生まれる〔-1540〕		1480
1491　呉廷翰、生まれる〔-1559〕 1496　銭徳洪、生まれる〔-1574〕 1498　王畿、生まれる〔-1583〕		1490
1502　李滉（李退渓）、生まれる〔-1571〕		1500
		1510

	ヨーロッパ	北アフリカ・アジア(東アジア以外)
1520	1521 ヴォルムスの国会、ルターを追放 1522 イグナティウス・ロヨラがスペイン北東部マンレサの洞窟で神秘的体験をする 1524 ドイツ農民戦争〔-1525〕 1528 フォンセカ、生まれる〔-1599〕 1529 オスマン帝国軍による第一次ウィーン包囲	1526 インド、ムガル帝国成立〔-1858〕
1530	1533 ヤコブス・ザバレラ、生まれる〔-1589〕。モンテーニュ、生まれる〔-1592〕 1534 イグナティウス・デ・ロヨラによりイエズス会結成 1535 ルイス・デ・モリナ、生まれる〔-1600〕。ペドロ・ゴメス、生まれる〔-1600〕 1538 ジャンバッティスタ・デッラ・ポルタ、生まれる〔-1615〕。プレヴェザの海戦でオスマン海軍がスペイン・教皇・ヴェネツィア海軍を破り地中海を制覇	1535 イランの細密画家ベフザード、没 1538 インドでシェール・ハーンがスール朝建国
1540	1541 カルヴァン、ジュネーヴで宗教改革開始 1542 十字架のヨハネ、生まれる〔-1591〕 1548 ジョルダーノ・ブルーノ、生まれる〔-1600〕。アントニウス・ルビウス、生まれる〔-1615〕。フランシスコ・スアレス、生まれる〔-1617〕	1540 ムガル朝の第2代皇帝フマーユーンがスール朝に追われてイランに亡命 1542 ザビエル、インドに到着
1550	1559 英国国教会成立	1550 コンスタンティノポリスで建築家スィナンがスレイマニエ・モスク着工

中国・朝鮮	日本	
1527 奇高峯、生まれる〔-1572〕。李贄、生まれる〔-1602〕		1520
1535 雲棲株宏、生まれる〔-1615〕 1536 李栗谷、生まれる〔-1584〕		1530
	1543 ポルトガル船、種子島に漂着 **1549 ザビエルが鹿児島に来航し、キリスト教が伝来**	1540
1550 顧憲成、生まれる〔-1612〕 1559頃 王啓元、生まれる〔-?〕	1555 川中島の戦い	1550

	ヨーロッパ	北アフリカ・アジア(東アジア以外)
1560	**1561　フランシス・ベイコン、生まれる〔-1626〕** 1562　フランスで宗教戦争勃発〔-1598〕 **1564　ガリレオ・ガリレイ、生まれる〔-1642〕。**シェイクスピア、生まれる〔-1616〕	**1561　イランの神秘哲学者ミール・ダーマード、生まれる〔-1631〕** 1564　ムガル帝国第3代皇帝アクバルが、非ムスリムに対するジズヤを廃止
1570	1571　レパントの海戦で、スペイン・ヴェネツィア連合艦隊がオスマン帝国海軍を破る **1575　ヤコブ・ベーメ、生まれる〔-1624〕**	**1571/2　イランの神秘哲学者モッラー・サドラー、生まれる〔-1640〕**
1580	**1588　トマス・ホッブズ、生まれる〔-1679〕。マラン・メルセンヌ、生まれる〔-1648〕** 1589　フランス、ブルボン朝に交代〔-1792〕	**1582　アクバルがディーネ・エラーヒー教を創始**
1590	**1596　デカルト、生まれる〔-1650〕**	1598　イランのサファヴィー朝がエスファハーンに遷都
1600	**1600　ジャン=ジョゼフ・スュラン、生まれる〔-1665〕。ジョルダーノ・ブルーノ、火刑に**	1600　イギリス東インド会社が設立される 1602　オランダ東インド会社が設立される 1604　フランス東インド会社が設立される
1610	1613　支倉常長ら、渡欧する〔-1620〕 1618　三十年戦争〔-1648〕	1619　オランダ、ジャワに東インド総督を置き、バタヴィア建設

中国・朝鮮	日本	
1562　繆昌期、生まれる〔-1626〕。徐光啓、生まれる〔-1633〕 **1563　李晬光、生まれる〔-1628〕** 1566　ポルトガル人、マカオを建設 **1568　魏忠賢、生まれる〔-1627〕**	1560　桶狭間の戦い **1561　藤原惺窩、生まれる〔-1619〕**	1560
1578　アレッサンドロ・ヴァリニャーノ、マカオに到着	1573　室町幕府滅亡 1575　長篠の戦い	1570
1582　マテオ・リッチ、マカオに到着	1582　大友・大村・有馬、教皇に少年使節を派遣〔-1590〕 **1583　林羅山、生まれる〔-1657〕** 1585　秀吉、関白になる	1580
1592　壬辰倭乱（文禄の役）〔-1593〕 **1593　費隠通容、生まれる〔-1661〕** 1597　丁酉倭乱（慶長の役）〔-1598〕	1590　秀吉、全国を統一する **1591　日本最初の活版印刷が行われる** **1592　松永尺五、生まれる〔-1657〕**	1590
1603　『天主実義』刊行	1600　関ヶ原の戦い 1603　徳川家康、江戸幕府を開く 1609　オランダ、平戸に商館を開設	1600
1610　黄宗羲、生まれる〔-1695〕 **1613　顧炎武、生まれる〔-1682〕**	1614　大坂冬の陣 1615　大坂夏の陣 **1619　山崎闇斎、生まれる〔-1682〕、熊沢蕃山、生まれる〔-1691〕**	1610

	ヨーロッパ	北アフリカ・アジア(東アジア以外)
1620	1620　メイフラワー号、アメリカに上陸 **1623　パスカル、生まれる〔-1662〕** **1627　ロバート・ボイル、生まれる〔-1691〕**	
1630	**1632　スピノザ、生まれる〔-1677〕。ロック、生まれる〔-1704〕** **1638　ニコラ・ド・マルブランシュ、生まれる〔-1715〕**	**1633　コム学派の哲学者サイード・クンミー生まれる〔-1691〕**
1640	1640　イギリス革命〔-1660〕 **1642　ニュートン、生まれる〔-1727〕** **1646　ライプニッツ、生まれる〔-1716〕** 1648　ウェストファリア条約を締結し、三十年戦争終結	**1641　イラン・インドの科学者ミール・フェンデレスキー、没。シリアのスーフィー神学者、アブドゥルガニー・ナーブルシー生まれる〔-1731〕**
1650		
1660	1660　イギリスで王政復古。**ロンドン王立協会（現在まで存続中）設立** **1666　パリ王立諸学アカデミー（後のフランス学士院）設立**	
1670		**1670　シーア派哲学者ラジャブ・アリー・タブリーズィー、没**

中国・朝鮮	日本	
1622　柳馨遠、生まれる〔-1673〕	1621　木下順庵、生まれる〔-1699〕 1627　伊藤仁斎、生まれる〔-1705〕	1620
1636　清、成立〔-1912〕	1635　中江藤樹、藤樹書院を開く 1637　島原の乱〔-1638〕	1630
1641　権尚夏、生まれる〔-1721〕 1644　清の中国支配はじまる。張献忠、軍を率いて成都を攻略し「大西国」を称す	1641　オランダ商館を出島に移し、鎖国完成	1640
1654　『神学大全』第一部の漢訳がロドヴィコ・ブーリオによって行われる〔-1677〕	1657　新井白石、生まれる〔-1725〕 1658　室鳩巣、生まれる〔-1734〕	1650
1661　鄭成功、台湾占領 1662　明、完全に滅亡	1666　荻生徂徠、生まれる〔-1728〕	1660
1677　『神学大全』第三部補遺がガブリエル・マガリャンイスにより漢訳される。李柬、生まれる〔-1727〕		1670

	ヨーロッパ	北アフリカ・アジア(東アジア以外)
1680	1683　オスマン帝国軍による第二次ウィーン包囲 **1685　バークリ、生まれる〔-1753〕** 1688　名誉革命〔-1689〕 **1689　モンテスキュー、生まれる〔-1755〕**。イギリスで権利の章典制定	
1690	**1694　ヴォルテール、生まれる〔-1778〕**	**1691　シーア派神学者カーディー・サイード・クンミー、没** 1699　カルロヴィッツ条約
1700	**1700　ベルリン諸学協会（後のベルリン科学アカデミー）設立**	

中国・朝鮮	日本	
1681 李瀷（李星湖）、生まれる〔-1763〕 1682 韓元震、生まれる〔-1751〕 1683 鄭氏が降伏、台湾が清の領土になる	1680 太宰春台、生まれる〔-1747〕 1683 服部南郭、生まれる〔-1759〕 1687 山県周南、生まれる〔-1752〕	1680
	1690 山井崑崙、生まれる〔-1728〕。昌平坂学問所が設立される 1697 賀茂真淵、生まれる〔-1769〕 1699 根本遜志、生まれる〔-1764〕	1690
	1703 安藤昌益、生まれる〔-1762〕	1700